実践例から学びを深める

保育内容・領域

環境指導法

小櫃 智子 

小山 朝子
相樂 真樹子
善本 眞弓
北澤 明子
福田 篤子

わかば社

はじめに

子どもの発達にとって環境はとても重要です。子どもたちは環境に自ら働きかけ、主体的に環境とかかわる中で発達に必要なさまざまな経験をします。保育内容・領域「環境」は、「周囲の様々な環境に好奇心や探究心をもって関わり、それらを生活に取り入れていこうとする力を養う」ことを目指しています。周囲のさまざまな環境とはどのような環境か、子どもが好奇心や探究心をもってかかわりたくなる環境をどのようにつくるか、子どもが環境とかかわり生活に取り入れていこうとする力をどのように養うか、保育者は専門的な知識と技術をもって保育を行うことが求められます。

本書では、保育内容・領域「環境」のねらいおよび内容について理解を深め、子どもが身近な環境に親しみ、かかわることを通して興味・関心をもてるような保育を構想することができ、その指導法が身につくよう構成しています。

Part 1では、保育内容・領域「環境」のねらいおよび内容について確認し、その展開を事例に基づき学びます。また、保育の過程の実際について理解を深めます。Part 2では、もの、自然、数量・図形、標識・文字、情報、施設・地域、文化など、さまざまな環境と子どもがかかわることの意義、これらの環境との豊かなかかわりを生み出す保育実践について具体的に学べるような内容としています。さらにPart 3では、保育実践の学びを深める内容として、遊びを通した総合的な指導の展開、小学校との連携・接続の実践、領域「環境」にかかわる現代的課題について解説しています。

乳幼児期の教育・保育は、生涯にわたる人格形成の基礎を培うとともに、学習の基盤を形成する重要なものです。近年では、乳幼児期の教育・保育の質が、その後の人生に大きな影響を与えることが大規模な縦断的調査によりエビデンス（証拠・根拠）をもって示されています。乳幼児期の教育・保育を担う幼稚園教諭や保育士、保育教諭への期待はますます大きなものとなっていくといえるでしょう。

本書は、幼稚園教諭および保育士、保育教諭を目指して学ぶみなさんが、保育者になってからも学び続け、その専門性を高めていくことができる力の獲得を重視し、専門的な基礎知識を学ぶことはもちろん、主体的、協働的に対話や作業を通して考えを深めていくことができるような演習“Active Learning”を随所に用意しました。子どもや保育について語り合うこと、保育を構想することの楽しさや喜びの一端を感じていただければ幸いです。

最後になりましたが、本書執筆に当たり、貴重な保育現場の実践や写真提供など、ご協力いただきました幼稚園、保育所等の先生方に心よりお礼申し上げます。

2021年2月

編者　小櫃智子

Contents

Part 2 保育の展開と指導法を学ぼう

Part 3 Step up! 保育実践の学びを深めよう

本書について

○ 本書では、「幼稚園教育要領」は「教育要領」、「保育所保育指針」は「保育指針」、「幼保連携型認定こども園教育・保育要領」は「教育・保育要領」と略し、表記しています（初出のみ正式名称）。
○「幼稚園、保育所、認定こども園、施設等」を総称して「園」もしくは「保育・教育施設」を総称して「保育施設」という用語で解説しています。
○ 本書掲載の事例および指導法例等の子どもの名前は仮名です。
○ 本書掲載の事例および指導法例では、その事例および指導法例で年齢が特定できる場合はクラス表記を、また発達の著しい３歳未満児には年齢および月齢を記載しています。
○ Part ２の「指導法例」では、その指導法で特に学んでほしい事柄を「Point」としてまとめています。
○ 本文に関連する内容を「Column」として随所に設けています。
○ 本書では、「Active Learning」と称し、演習課題を掲載しています。Part １および Part ３では各 Part 末、Part ２では各章末に設けています。各「Active Learning」には「Hint」として、その課題を行う際の手がかりや手順、例などを記しています。なお、各「Active Learning」の解答例などはありません。
○ 引用・参考文献は巻末に一括掲載しています。

Part 1

保育内容とその展開の理論を学ぼう

第1章 子どもと環境について学ぼう

1．環境とは

環境とは何でしょうか。辞書を調べてみると、「取り囲んでいる周りの世界。人間や生物の周囲にあって、意識や行動の面でそれらと何らかの相互作用を及ぼし合うもの。また、その外界の状態。自然環境の他に社会的、文化的な環境」[1)]とあります。本章では、子どもと環境について学ぶに当たり、まず、環境とは何かについて考えていきます。

（1）「私」を取り巻くもの

環境とは、辞書にもある通り、簡単にいうと私たちを取り巻くものと、とらえることができます。取り巻くものの中心には「私」がいます。つまり、主となる「私」によって、環境は変わります。たとえば、A、B、C、Dという子どもがいたときに、Aちゃんにとっては、Bちゃん、Cちゃん、Dちゃんが環境になりますが、Bちゃんにとっては、Aちゃん、Cちゃん、Dちゃんが環境になります。広義には、環境とは主となる「私」を取り巻く外的な総体のことをいいます。

（2）相互作用を及ぼし合うもの

また、辞書には、さらに「意識や行動の面でそれらと何らかの相互作用を及ぼし合うもの」[2)]とあります。たとえば、天気予報でその日の気温の情報を聞いたり、実際に肌でその気温を感じ取ったりして、「今日は少し寒そうだ」と思えば、「暖房を入れよう」とか、「今日は、厚手の上着を1枚羽織っていこう」と、私たちは何らかの行動を起こすでしょう。つまり、気温という環境が私たちに働きかけ、私たちもまたその働きかけを受けて行動を起こしており、相互作用を及ぼし合っています。

しかし、私たちは、私たちを取り巻くすべてのものに対し常に意識し、相互作用を及ぼし合っているでしょうか。たとえば、毎日歩く道端に転がっている石ころはどうでしょうか。目には留まっていてもあまり意識せず通り過ぎていたり、石ころがあることに気づかないでいたりすることもあるかもしれません。石ころが1つ増えても、減っても、私たちはあまり影響を受けないでしょう。狭義においては、この石ころのように影響を受けないものについては環境としてとらえず、相互作用を及ぼし合うもの、つまり何らかの影響を受け合うものを環境ととらえます。

また、相互作用を及ぼし合うかどうか、つまり影響を受け合うかどうかは、主である「私」によっても異なります。たとえば、ある母親は通り慣れた道端の石ころに影響を受けないかもしれませんが、子どもは石ころを見て「おもしろい」と感じ、拾い上げるかもしれません。拾った石ころを並べたり、積んだりして楽しく遊ぶ子どもにとっては、その石ころは意味のある環境となるわけです。一方、母親にとって石ころは、相互作用を及ぼし合う存在ではなく、狭義において環境とはいえません。

（3）さまざまな環境

それでは、私たちを取り巻く環境にはどのようなものがあるのでしょうか。環境については、さまざまな枠組みでとらえることができますが、大きく自然環境と社会環境に分けて考えてみましょう（図表1-1）。

自然環境	社会環境
● 生物的自然 例）動物、植物、微生物など ● 非生物的自然 例）山、川、石、砂、水、大気、太陽光など	● 人的環境 例）家族（母親、父親、きょうだいなど）、親戚、友達、先生、近隣の人など ● 物的環境 例）施設、設備、生活用品、おもちゃ、遊具、絵本など ● 情報環境 例）新聞、テレビ、ラジオ、雑誌、インターネットなど ● 文化的環境 例）生活様式、伝統行事、遊び、芸術など

図表 1-1　私たちを取り巻く環境

自然環境とは、人の手が加わっていない事物や状況のことで、動物や植物、微生物などの生物的自然と、山や川、石や砂、水、大気、太陽光などの非生物的自然とに大別することができます。一方、社会環境とは、人が社会生活を営む上でつくり出している事物や状況のことで、人的環境、物的環境、情報環境、文化的環境などに整理することができます。具体的には、人的環境として家族や親戚、友達や保育者、近隣の人など、物的環境として施設や設備、生活用品やおもちゃ、遊具、絵本など、情報環境として新聞やテレビ、ラジオ、雑誌、インターネットなど、文化的環境として生活様式や伝統行事、遊びや芸術などがあげられます。

しかし、人も生物であり、広義には自然環境に位置づけることもできます。また、人は自然環境にさまざまに働きかけ、生活をしています。たとえば、私たちが普段食べている野菜は畑でつくられています。畑は土と水、植物、太陽と雨といった自然から構成されているので、多くの人は自然環境ととらえるでしょう。でも見方を変えるとどうでしょうか。農家では、農産物をつくり、出荷して、収入を得て生活をしています。こうした社会生活の営みに着眼すれば、農家の畑を社会環境ととらえることもできます。

このように、私たちを取り巻く環境は、明確に区分することがむずかしい側面をもっています。環境という言葉を使うとき、私たちはどのような視点をもち、どのような枠組みでとらえているかを意識することが大切です。

2．保育における子どもの環境

園は、乳幼児が生活する場であり、育ちの場です。このような意味で、保育における子どもの環境は大変重要であるといわねばなりません。保育における環境の意義やその実際について見ていくこととしましょう。

（1）子どもの育ちと環境

子どもは周囲の環境に自ら働きかけ、さまざまな環境との相互作用により成長していきます。たとえば、0歳児のAちゃんの積み木遊びの様子を想像してみてください。Aちゃんは、毎日、登園するとお気に入りの積み木で遊びます。はじめは2つ積み重ねることもできませんでしたが、何日も繰り返し積み木で遊んでいるうちに、3つ、4つと積み木を積み重ねることができるようになりました。これは、指先の細かな運動機能の発達を意味しています。積み木という環境に自らかかわり遊ぶ中で、Aちゃんの指先の運動機能が育っているのです。また、Aちゃんは、積み重ねることができるまで何度も繰り返し挑戦しています。そこには根気強く集中して取り組む力の育ちや、意欲の育ちも感じられます。

園では、こうした環境のもつ重要性を踏まえ、子ども一人一人の豊かな育ちを願い、子どもの発達に必要な環境を整えています。

（2）子どもの生活の環境

園での環境を考える上で、まずは乳幼児期の子どもにとって園生活が、安心で、心地よいものであることが必要です。そのためには、子どものさまざまな欲求を満たし、温かく受け止めてくれる保育者という人的環境が何より重要です。信頼を寄せる温かな保育者のもとで子どもの情緒は安定します。また、小さな子どもの命を守り育む上で必要な環境として、室温や湿度、採光、雰囲気なども十分な配慮がなされています。

園生活の場となる園内の施設や設備、生活に必要な用具などの物的環境は、子どもの発達に合ったものが用意されています。たとえば、食事をする際に使用するスプーンやフォーク、箸なども子どもの発達に応じて、いくつもの種類が用意されています。ある園で、保育者が使用していた柄の長いほうきを子どもが使いたいといったので渡しましたが、子どもには使いづらくすぐに使うのをやめてしまったということがありました。その後、子どもの体の大きさに合わせたほうきを用意したところ、子どもたちが主体的にほうきを使って掃除するようになったそうです。子どもの発達に応じて環境を用意することは、子どもの主体的な生活につながります。

環境は子どもとの相互作用の中で生かされるので、子どもが園生活の中でどのように過ごしているかをイメージして園内の環境をつくっていくことが重要です。子どもが生き生きと生活する園では、子どもの視点に立った環境が用意されています。子どもの動線を考慮して配置された棚やテーブル、子どもの目線に合わせて飾られた草花、子どもの生活のリズムに合わせて用意された活動的な空間とくつろぎの空間など、生活する子どもの姿をもとに園での豊かな生活の環境が考えられています。

（3）子どもの遊びの環境

子どもは自発的で主体的な遊びを通して育ちます。子どもの育ちの場である園においては、子どもの豊かな遊びを実現する環境が必要です。

子どもの遊びは、発達と深くかかわっています。たとえば、運動機能の発達の著しい乳幼児期の子どもは、体を動かして遊ぶことが大好きです。体を思い切り動かすことのできる広いスペースや、体を動かして遊ぶことのできる遊具などが環境として必要になるでしょう。手指の操作も発達するので、手指の操作を楽しむことのできるおもちゃもその発達に応じて用意したいものです。また、この時期は言葉の発達も著しいため、言葉を豊かに楽しむ絵本なども重要な環境として用意されます。

このほか、乳幼児期は、描いたり、つくったりなど造形表現を楽しむ遊び、歌やリズムなど音楽表現を楽しむ遊び、見立てたりなりきったりしてイメージの世界を楽しむ遊び、砂や水、生き物や植物など自然とのかかわりを楽しむ遊びなども大好きです。こうした遊びを楽しめるおもちゃや遊具、用具、身近な素材などの物的環境、砂や水、植物や生き物などの自然環境、場やスペースなどの空間が必要になります。これらの環境は、子どもの育ちを見通し、保育のねらいをもって用意されますが、保育者が一方的に用意するのではなく、子ども一人一人の興味・関心をもとに、子ども自身がかかわって遊びたくなるものであることが重要です。保育者は、子どもと園生活をともにしながら、子どもが必要とする環境を子どもと一緒につくり上げていきます。

また、友達という存在が遊びにはとても重要です。友達がいることで遊びが広がり、より楽しいものになります。ともに遊ぶ仲間としての人的環境、子どもの興味・関心を動かす豊かな物的環境、自然環境などが、子どもの自発的で主体的な遊びを実現します。そして、子どもが存分に遊び込むことのできる時間を保障することも、遊びの環境の重要な要素となります。

Column　保育者の人間性・感性が表れる環境

ある保育室のテーブルの上に、「たいせつにつかいましょう」と書かれた箱が置かれていました。その箱の中には、画用紙や折り紙の切れ端が入っています。１枚使い切らない画用紙や折り紙を捨ててしまうのではなく、子どもたちはその箱の中に入れます。また、少しだけ使いたいときに、その箱の中の切れ端を使っています。この箱の存在からは、紙の切れ端も大切に使ってほしいという保育者の思いが伝わってきます。保育者の価値観が環境に反映されているともいえるでしょう。また、ある保育室には、庭の片隅に咲いている草花がいつも飾られています。身近な季節の草花に心を動かし、部屋に飾る保育者の感性もまた環境に反映されます。

第2章 保育内容・領域「環境」について学ぼう

1．保育・幼児教育の基本

（1）環境を通して行う保育の重要性

幼稚園教育要領（以下、教育要領）、保育所保育指針（以下、保育指針）、幼保連携型認定こども園教育・保育要領（以下、教育・保育要領）のすべてにおいて、保育の目標を達成していくためには、乳幼児期の特性を踏まえて「環境を通して行う保育」を展開していくことの重要性が示されています。

乳幼児期は、小学校のように決められた時間割に沿って教科ごとに学んでいくのではなく、毎日心地よく園生活をする中で、子ども自らの「～したい」などの欲求や「これ、何だろう？」「どうやって使うの？」など自ら興味・関心をもって直接的・具体的に取り組む体験を通して、心身が大きく育っていく時期です。よって、子どもは保育者との信頼関係を基盤にして、日々の園生活を通してあらゆる環境から刺激を受け止め、自ら興味・関心をもって主体的に環境にかかわって遊びを展開し、感じたり気づいたりしていくことを通して、充実感や満足感を味わう体験を積み重ねていくことが重要となります。その中で、環境へのかかわり方に気づいたり、それらを取り込んでいくために試行錯誤したり考えたりするようになることも大切といえます。

保育者は子ども一人一人の状況や発達過程を踏まえて、子どもが主体的に環境にかかわることができるように計画的に環境を構成するとともに子どもと一緒に環境を整えたりつくり出すことに努め、子どもの健やかな育ちを支えていく大きな役割があります。そして保育者がその役割を果たしていくことによって、子どもは環境とかかわることへのさらなるおもしろさや楽しさに気づき、環境とのかかわり方を深めていくことにつながるのです。

（2）乳幼児期にふさわしい生活の展開

乳幼児期の生活は、この時期ならではのふさわしい生活を展開していくことが望まれます。そのふさわしい生活を展開していくために大切にすべきことは、主に3つに整理することができます。

一つは、「保育者との愛着関係や信頼関係に支えられた生活」です（次頁 Column 参照）。人とのかかわりを通して子どもは自ら身近な環境に積極的にかかわり世界を広げていくため、家庭以外のはじめての生活の場で出会う保育者に受け入れられ守られ安心感をもって過ごすことは、愛着関係や信頼関係を築いていくことにつながり、毎日の生活を支えていくことにつながっていきます。

さらに、「興味・関心に基づいた直接的な体験が得られる生活」です。乳幼児期の生活は、小学校のように明確な時間割があるわけではありません。一人一人の子どもが自ら興味・関心をもって自発的に遊び、それを通して直接的な体験を重ねていくことが豊かな発達を促す栄養となり、自らかかわる環境について学んだり、さまざまな力を獲得したりしていくのです。その過程の中で、充実感や満足感を味わっていくことで、さらなる興味・関心を高めていくため、保育者は子どもが主体的にかかわりさまざまな経験ができる環境を整えていくことが大切になります。

もう一つは、「友達と十分にかかわって展開する生活」です。子どもは愛情ある大人とのかかわりを十分にしていくことによって、友達の存在に気づき、友達と遊びたいという気持ちが高まり、かかわっていくことが楽しくなっていきます。しかし、楽しいことばかりでなく、気持ちのぶつかり合いや、いざこざを起こすことなども出てきますが、保育者の仲立ちや一緒に考えていくかかわりを通して、自分と他者の違いに気づき、友達を思いやる気持ちをもつようになるのです。そのような積み重ねが、集団で遊ぶことの楽しさを感じたり自律性を身につけるといった、社会性の育ちへとつながっていきます。よって、乳幼児期は友達と十分にかかわって展開する生活を大切にすることが重要といえるのです。

愛着関係とは

愛着関係とは、アタッチメント（attachment）とも呼ばれており、「ある人物が特定の大人（他者）との間に結ぶ情緒的な絆」※）のことをいいます。子どもが危機的な状態に陥り、不安や怖さなどネガティブな感情が生まれたときに、特定の大人に接近したり接近した状態を維持することを通して調整しようとする欲求です。生後6か月から2～3歳ころに形成されるものであり、家庭の養育者だけでなく、毎日保育をする保育者とも形成することができます。この理論は、イギリスの児童精神科医であるジョン・ボウルビィによって提唱され、その後は発達心理学の分野で研究がなされてきました。

※）庄司順一、奥山眞紀子、久保田まり編『アタッチメント―子ども虐待・トラウマ・対象喪失・社会的養護をめぐって』明石書店、2008、p.3

（3）遊びを通した総合的な指導

子どもの遊びは、心身全体を働かせて行うものであるため、今、子どものもち合わせているさまざまな能力は一つ一つ個別に発達していくのではなく、相互に関連し合いながら総合的に発達していきます。たとえば、3人の3歳児が砂場で砂山づくりをして遊んでいる様子を考えてみましょう。砂山をつくるためには、砂の上に足で立ち、スコップという道具を使いながら砂を上手にすくうコントロールが必要です。砂は乾いているとサラサラで、水に湿らせると形がつくりやすくなる性質に気づいて、どうしたら砂を積み上げて山にできるのか思いをめぐらせ試行錯誤をして行うことも必要になります。また、「砂山」をどれくらいの大きさにするのかなどのイメージを共有し合い、3人の友達同士で互いを認め合いながら協力する気持ちをもって、ときには相談し合いながらつくっていくことも大切です。子どもは、そのような多くの体験を通して、達成感や満足感を味わい、友達関係の深まりにもつながっていきます。

このように、子どもが主体的に取り組む一つの遊びの中には、子どもの成長や発達にとって重要なさまざまな体験が含まれています。そして、その多くの体験の積み重ねが、子どもの諸側面の総合的な発達の実現につながっていくのです。つまり「遊びを通した総合的な指導」とは、子どもの生活や遊びを中心に、子どもの主体性を大切にした保育を実践しようとすることで、それは自ずと総合的なものになるということを意味するのです。

（4）一人一人の発達に応じた援助

子どもの発達は、どの子どもも大筋は同じ方向性をもってなされていくものですが、一人一人の子どもを見ると、家庭の状況や生活の経験などはそれぞれ異なるため、発達のプロセスも一様ではなく独自性が見られます。だからこそ、一つの環境でも一人一人の子どもの受け止め方やかかわり方、感じ方などは異なり、それを通した経験も自ずと異なってくるのです。保育者はこれらについて心に留めながら、一人一人の子どもの発達の状況や特性をていねいにとらえ、その子どもに合わせた援助をしていくことが大切となります。

たとえば、気軽に縄をもって前跳びや後ろ跳びをしている子どももいれば、保育者に「見ててね」といって前跳びをしている子どももいます。なかなかうまく前跳びができずにイライラしてしまう子どももいるでしょう。保育者は、それぞれの子どもに合わせて静かに見守ったり、跳んだ数を数えてほめたり、イライラする気持ちを共感しながらも励ましたりうまく跳べるコツを一緒に考えていくなど、その子どもの主体性を尊重して、その姿に合わせたかかわりをしていくことが望まれるということになります。

つまり、子どもの発達過程をていねいにとらえながらも、一人一人の子どもの発達に目を向けて、その子どもの主体性が発揮されるように保育者はそれぞれに必要とされる援助を行っていくことが重要となるのです。

2．保育内容の全体構成と領域「環境」

（1）保育内容における領域とは

2017（平成29）年の教育要領、保育指針、教育・保育要領の同時改訂（改定）の際に、どの年齢においても教育的側面である保育内容を整理したことによって、幼児教育の積極的な位置づけや小学校への円滑な接続の視点を反映し、どの保育施設でも同じ教育を受けられることが示されました。

保育内容・領域とは、園における保育の目標を達成していくにあたって、教育的側面における子どもが経験する内容や、保育者が援助を行うことによって子どもに経験してほしい内容のことをいいます。その領域は、子どもの発達の側面から、心身の健康に関する「健康」、人とのかかわりに関する領域「人間関係」、身近な環境とのかかわりに関する領域「環境」、言葉の獲得に関する領域「言葉」、感性と表現に関する領域「表現」の５つで示されています。保育者はこれらすべてが重なり合い、切り離せない関係性であることを意識して、遊びを通して総合的に取り組んだり計画していくことが求められます。

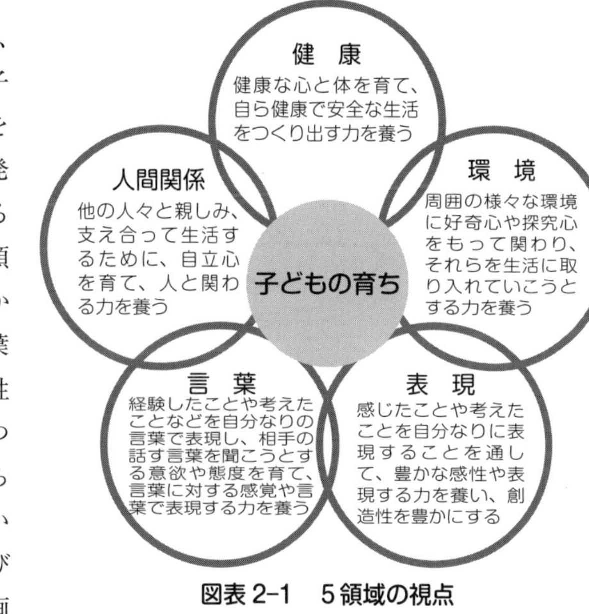

図表 2–1　5領域の視点

清水将之・相樂真樹子編『改訂版＜ねらい＞と＜内容＞から学ぶ 保育内容・領域 健康』わかば社、2018、p.16

（2）5領域における領域「環境」の位置づけ

では、５つの領域はどのような関係性になっているのでしょうか。まず、何より大切な基礎となるのは、心と体の健康に関する領域「健康」です。なぜならば、子どもは心と体が健康であるからこそ、人やものなどに意欲的にかかわり、世界を広げていこうとするからです。また、子どもにとって身近な人（保育者・友達など）は、人とかかわることで発達を保障していくことができることからも、一つの大切な環境ととらえることができます。したがって、領域「人間関係」と領域「環境」は、互いに密接な関係にあるといえるでしょう。そして、領域「環境」に関する経験は、子どもの表現の経験も豊かにするなど強く結びついていることから領域「表現」とかかわる部分も多く、領域「表現」と深く結びつく領域「言葉」ともかかわり合う関係性になるのです。

さらに、５領域の基盤となっているのが、養護であり、安心・安全な生活を保障することで５領域で示す経験をていねいに積み重ねていくことができるようになります。

このように考えると、５領域の関係性は図表 2–2 のように示されます。どの領域も欠かせないものであるからこそ、保育者はこの構造をしっかりと理解し意識しながら、保育することにより、子どものよりよい豊かな経験につながっていくことでしょう。

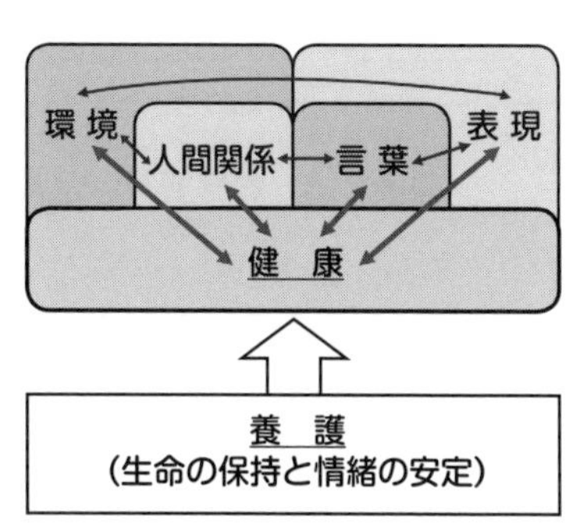

図表 2–2 「保育内容／領域」の構造

清水将之・相樂真樹子編『改訂版＜ねらい＞と＜内容＞から学ぶ 保育内容・領域 健康』わかば社、2018、p.18

（3）保育の内容の構成

保育の内容については、教育要領では「第２章　ねらい及び内容」、保育指針では「第２章　保育の内容」、教育・保育要領では「第２章　ねらい及び内容並びに配慮事項」でそれぞれ示されています。

	幼稚園教育要領	保育所保育指針	幼保連携型認定こども園教育・保育要領
章	第２章　ねらい及び内容	第２章　保育の内容	第２章　ねらい及び内容並びに配慮事項
乳児（０歳児）		１　乳児保育に関わるねらい及び内容	第１　乳児期の園児の保育に関するねらい及び内容
		（１）基本的事項	基本的事項
		（２）ねらい及び内容 ア　健やかに伸び伸びと育つ （ア）ねらい　（イ）内容 （ウ）内容の取扱い イ　身近な人と気持ちが通じ合う （ア）ねらい　（イ）内容 （ウ）内容の取扱い ウ　身近なものと関わり感性が育つ （ア）ねらい　（イ）内容 （ウ）内容の取扱い	ねらい及び内容 健やかに伸び伸びと育つ １　ねらい　２　内容 ３　内容の取扱い 身近な人と気持ちが通じ合う １　ねらい　２　内容 ３　内容の取扱い 身近なものと関わり感性が育つ １　ねらい　２　内容 ３　内容の取扱い
		（３）保育の実施に関わる配慮事項	
１歳以上３歳未満児		２　１歳以上３歳未満児の保育に関わるねらい及び内容	第２　満１歳以上満３歳未満の園児の保育に関するねらい及び内容
		（１）基本的事項	基本的事項
		（２）ねらい及び内容 ウ　環境※ （ア）ねらい　（イ）内容 （ウ）内容の取扱い	ねらい及び内容 環境※ １　ねらい　２　内容 ３　内容の取扱い
		（３）保育の実施に関わる配慮事項	
３歳以上児		３　３歳以上児の保育に関するねらい及び内容	第３　満３歳以上の園児の教育及び保育に関するねらい及び内容
		（１）基本的事項	基本的事項
	環境※ １　ねらい　２　内容 ３　内容の取扱い	（２）ねらい及び内容 ウ　環境※ （ア）ねらい　（イ）内容 （ウ）内容の取扱い	ねらい及び内容 環境※ １　ねらい　２　内容 ３　内容の取扱い
		（３）保育の実施に関わる配慮事項	
			第４　教育及び保育の実施に関する配慮事項

※５領域の「環境」部分のみ記載。

図表 2-3　教育要領、保育指針、教育・保育要領における保育の内容の構成

（4）「ねらい」「内容」「内容の取扱い」

教育要領では、３歳以上児の保育内容を「ねらい」「内容」「内容の取扱い」として、５領域ごとに示されており、保育指針および教育・保育要領では、子どもの発達状況を見据えて、乳児（０歳児）保育、１歳以上３歳未満児、３歳以上児と３つの年齢に区分し、乳児（０歳児）保育では３つの視点（本書 p.18 ～ 20 参照）、１歳以上３歳未満児、３歳以上児ではそれぞれ５領域ごとに「ねらい」「内容」「内容の取扱い」が示されています。また、保育指針および教育・保育要領には、各年齢区分の冒頭に「基本的事項」として、その時期の子どもの主な発達の特徴や道筋などが示されています。前頁の図表2-3の網かけ部分の「ねらい」「内容」「内容の取扱い」は各年齢区分ごとに教育要領、保育指針、教育・保育要領でほぼ同じ内容で記されています。

「ねらい」は、子どもが生活を通して発達していく姿を踏まえ、就学前教育・保育において育みたい資質・能力を子どもの生活する姿からとらえたものとし、各年齢区分において心情・意欲・態度の側面から３つ示されています。心情・意欲・態度とは、子どもがそれまでの体験を通じ主体的な生活や遊びをしていくことを通して、新たな能力を獲得していく過程です。心情は見たり聞いたり体験したりすることを通して感じたり思ったりする“豊かな心の育ち”であり、意欲は“挑戦したい”“試したい”など物事や事象に向かって主体的に行動をしようとする“その状況に主体的に向かい合おうとする意欲の育ち”であり、態度は粘り強く取り組む、失敗しても試行錯誤し能動的に持続していく“その状況を安定して持続できる態度の育ち”を表します。つまり、毎日の保育の中で育つ学びの中核ともいえるでしょう。

「内容」は、「ねらい」を達成するために、保育者が子どもの発達の実情を踏まえながら援助をし、子どもが身につけていくことが望まれるものであり、子どもが自ら環境にかかわりながら経験してほしいこと、保育者の援助のもとで経験していくことを整理しています。そして、保育者は、子どもがこの「内容」を毎日の遊びや生活の中で繰り返し経験することによって育まれていくものであることを心に留めて、環境づくりをしたり、ていねいにかかわることが大切となります。

「内容の取扱い」は、乳幼児期の発達を踏まえた保育を行うに当たって留意すべき事項を示しています。つまり、日々の保育の中で「内容」に示されたよりよい経験を積み重ねていき、豊かな育ちにつなげていくことができるようにするため、保育者が大切にすべき保育の視点や留意事項、具体的な配慮などをよりわかりやすく示したものといえるでしょう。このように考えると、保育を計画していく際に押さえておくべき事項ともいえるので、事前にこれらの事項を確認していくことで、保育者が子どもの遊びの展開を充実させていく適切な働きかけができるようになります。

なお、保育指針では各年齢区分ごとに「保育の実施に関わる配慮事項」として、教育・保育要領では「第４　教育及び保育の実施に関する配慮事項」として、その年齢の子どもの発達過程に合わせて保育を実施するための具体的な配慮事項が示されています。子ども一人一人の発達過程を理解していくことによって、日々の保育における保育の配慮は当然ながら変わってくることを意識し、保育者はこの配慮事項などを参照しながら目の前の子どもの保育を実施する際に心に留めていくことが求められます。

次に、教育要領、保育指針、教育・保育要領から、乳児（０歳児）保育の３つの視点と、１歳以上３歳未満児および３歳以上児の領域「環境」における「ねらい」「内容」「内容の取扱い」について確認していきましょう。

3．乳児（0歳児）保育の3つの視点
──「ねらい」「内容」「内容の取扱い」

（1）乳児（0歳児）保育の3つの視点

2017（平成29）年の保育指針および教育・保育要領では、乳児（0歳児）保育において、子どもの発達が未分化な状態であり、教育的側面である5領域も混沌としたものであることから、3つの視点として保育内容を整理しています。3つの視点とは、図2-4で示しているように、身体的発達に関する視点「健やかに伸び伸びと育つ」、社会的発達に関する視点「身近な人と気持ちが通じ合う」、精神的発達に関する視点「身近なものと関わり感性が育つ」です。

身体的発達に関する視点「健やかに伸び伸びと育つ」は、主に領域「健康」と関連しており、人が健康で安全な生活を営んでいくための基盤づくりとなるものです。乳児が身近な環境に働きかけながら身体の諸感覚を得たり、自らの体をめいっぱい動かそうとする中で、心地よく生理的欲求を満たしながら徐々に生活リズムをつくり出していくことを大切にしています。

社会的発達に関する視点「身近な人と気持ちが通じ合う」は、主に領域「人間関係」「言葉」と関連していて、生涯にわたって重要な人とかかわり合いながら、生きていくための力の基盤づくりとなるものです。乳児は、愛情ある保育者との受容的・応答的なかかわりを通して愛着関係を形成し、体の動きや表情、発声など自分のもち合わせた力をめいっぱい使いながら、気持ちを通わせようとします。その積み重ねによって、愛情ある保育者との心地よいかかわりを深め、信頼関係が芽生えていくことにつながっていきます。

精神的発達に関する視点「身近なものと関わり感性が育つ」は主に領域「環境」「表現」と関連しており、子どもが環境との豊かなかかわり合いを通して、自分の生きる世界を広げたり深めたりしていく上での基盤づくりとなるものです。子どもは愛情ある保育者との安定した心地よい関係を拠りどころにして、身近な環境にあるさまざまなものに興味・関心をもち、見る、触れる、探索するなど自らかかわろうとするようになります。それらを積み重ねていくことによって、身体の諸感覚による認識が豊かになり、自らの表情や手足、体の動きなどでの表現につながっていくのです。

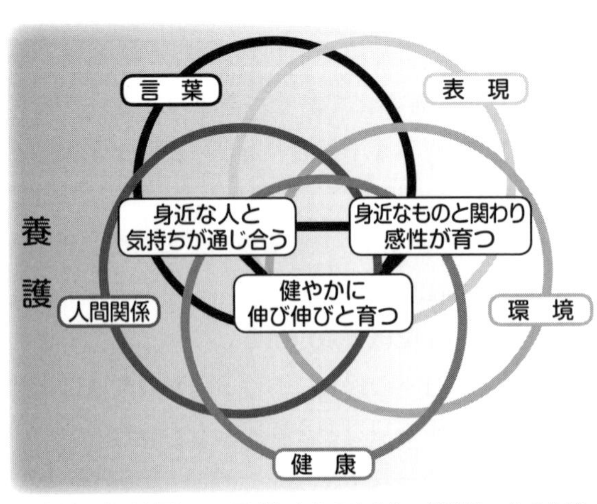

図表2-4 乳児の保育内容の3つの視点

社会保障審議会児童部会保育専門委員会（第10回）会議資料、2016

（2）乳児（0歳児）保育の「ねらい」および「内容」
── 精神的発達に関する視点「身近なものと関わり感性が育つ」と領域「環境」

この世に出生した乳児は、すぐに自らを取り巻く環境にかかわり、外界の刺激を体を通して感じ取っていきます。外界の刺激とは、抱っこされている温もり、あやされている声などの人からの刺激、心地よい風、鮮やかな色のおもちゃなどの自然やものからの刺激があげられ、その刺激に興味・関心を示しながらじっと見る、聞く、触れるなど自らのあらゆる感覚を通してとらえていくのです。

その際、乳児は、愛情をもってかかわる保育者の受容的で応答的なかかわりによって、安心して生活をすることを積み重ねていくことを通して、さらに意欲的に身近な環境にかかわろうとしていきます。そして、身体の発達が促されてくると、手を伸ばして試そうとしたり、音の出るおもちゃをもって音を鳴らそうとしたり、自分のもつ力をめいっぱい使ってものや人にかかわることをおもしろいと思い楽しむようになるのです。

乳児期は、心も体も著しく発達していくことから、保育者は常に一人一人の子どもの発達状況や興味・関心があるものは何かなどを把握して、発達に合わせたおもちゃを用意したり、好みの絵本を一緒に見たり、触れ合い遊び、手遊びなどを一緒に楽しめるような環境づくりをしていくことが大切になります。

このような乳児自らの経験の積み重ねが、身近な環境への認識の世界を徐々に広げていくとともに、自分の感じたことや思ったことを表現しようとする意欲と力を培っていくことにつながっていくのです。つまり、精神的発達の視点「身近なものと関わり感性が育つ」が、主に領域「環境」と領域「表現」と関係しており、子どもが成長していくことで、徐々に分化して示すことができるようになることが理解できるでしょう。

１歳以上３歳未満児になると、教育的側面が５領域として示されるようになりますが、子どもの発達状況の個人差が大きいことから、３つの視点と５領域の連続性を意識して、一人一人の子どもの発達状況や様子に合わせて、柔軟に移行していくことが求められます。よって、「身近なものと関わり感性が育つ」という視点と領域「環境」の双方に示された内容をていねいに見ながら、保育を考えて移行していくことが大切です。また、乳児保育は、複数の担任保育者同士での共通理解をもって考えていくことも大切です。

（3）乳児（0歳児）保育の「内容の取扱い」

乳児は、心身のさまざまな機能が未熟であり、発達の諸側面が互いに密接な関連をもち未分化な状態です。保育者は、十分に安全確保をして、子どもが安心して心地よく過ごせるような環境づくりに努めていき、子ども自らが生きようとする力を発揮しながら生活や遊びを充実していくことができるように配慮していくことが大切になります。また、生活や遊びを養護と教育に一体性をもたせながら各視点を意識して乳児の保育を展開していくことも重要になります。

<table>
<tr><td rowspan="2">3つの視点</td><td>身体的発達に関する視点</td><td>社会的発達に関する視点</td><td>精神的発達に関する視点</td></tr>
<tr><td>健やかに伸び伸びと育つ</td><td>身近な人と気持ちが通じ合う</td><td>身近なものと関わり感性が育つ</td></tr>
<tr><td>目標</td><td>健康な心と体を育て、自ら健康で安全な生活をつくり出す力の基盤を培う。</td><td>受容的・応答的な関わりの下で、何かを伝えようとする意欲や身近な大人との信頼関係を育て、人と関わる力の基盤を培う。</td><td>身近な環境に興味や好奇心をもって関わり、感じたことや考えたことを表現する力の基盤を培う。</td></tr>
<tr><td rowspan="3">ねらい</td><td>①身体感覚が育ち、快適な環境に心地よさを感じる。</td><td>①安心できる関係の下で、身近な人と共に過ごす喜びを感じる。</td><td>①身の回りのものに親しみ、様々なものに興味や関心をもつ。</td></tr>
<tr><td>②伸び伸びと体を動かし、はう、歩くなどの運動をしようとする。</td><td>②体の動きや表情、発声等により、保育士（保育教諭）等と気持ちを通わせようとする。</td><td>②見る、触れる、探索するなど、身近な環境に自分から関わろうとする。</td></tr>
<tr><td>③食事、睡眠等の生活のリズムの感覚が芽生える。</td><td>③身近な人と親しみ、関わりを深め、愛情や信頼感が芽生える。</td><td>③身体の諸感覚による認識が豊かになり、表情や手足、体の動き等で表現する。</td></tr>
<tr><td rowspan="5">内容</td><td>①保育士（保育教諭）等の愛情豊かな受容の下で、生理的・心理的欲求を満たし、心地よく生活をする。</td><td>①子ども（園児）からの働きか（掛）けを踏まえた、応答的な触れ合いや言葉が（掛）けによって、欲求が満たされ、安定感をもって過ごす。</td><td>①身近な生活用具、玩具や絵本などが用意された中で、身の回りのものに対する興味や好奇心をもつ。</td></tr>
<tr><td>②一人一人の発育に応じて、はう、立つ、歩くなど、十分に体を動かす。</td><td>②体の動きや表情、発声、喃語等を優しく受け止めてもらい、保育士（保育教諭）等とのやり取りを楽しむ。</td><td>②生活や遊びの中で様々なものに触れ、音、形、色、手触りなどに気付き、感覚の働きを豊かにする。</td></tr>
<tr><td>③個人差に応じて授乳を行い、離乳を進めていく中で、様々な食品に少しずつ慣れ、食べることを楽しむ。</td><td>③生活や遊びの中で、自分の身近な人の存在に気付き、親しみの気持ちを表す。</td><td>③保育士（保育教諭）等と一緒に様々な色彩や形のものや絵本などを見る。</td></tr>
<tr><td>④一人一人の生活のリズムに応じて、安全な環境の下で十分に午睡をする。</td><td>④保育士（保育教諭）等による語りか（掛）けや歌いか（掛）け、発声や喃語等への応答を通じて、言葉の理解や発語の意欲が育つ。</td><td>④玩具や身の回りのものを、つまむ、つかむ、たたく、引っ張るなど、手や指を使って遊ぶ。</td></tr>
<tr><td>⑤おむつ交換や衣服の着脱などを通じて、清潔になることの心地よさを感じる。</td><td>⑤温かく、受容的な関わりを通じて、自分を肯定する気持ちが芽生える。</td><td>⑤保育士（保育教諭）等のあやし遊びに機嫌よく応じたり、歌やリズムに合わせて手足や体を動かして楽しんだりする。</td></tr>
<tr><td rowspan="2">内容の取扱い</td><td>① 心と体の健康は、相互に密接な関連があるものであることを踏まえ、温かい触れ合いの中で、心と体の発達を促すこと。特に、寝返り、お座り、はいはい、つかまり立ち、伝い歩きなど、発育に応じて、遊びの中で体を動かす機会を十分に確保し、自ら体を動かそうとする意欲が育つようにすること。</td><td>① 保育士（保育教諭）等との信頼関係に支えられて生活を確立していくことが人と関わる基盤となることを考慮して、子ども（園児）の多様な感情を受け止め、温かく受容的・応答的に関わり、一人一人に応じた適切な援助を行うようにすること。</td><td>① 玩具などは、音質、形、色、大きさなど子ども（園児）の発達状態に応じて適切なものを選び、その時々の子ども（園児）の興味や関心を踏まえるなど、遊びを通して感覚の発達が促されるものとなるように工夫すること。なお、安全な環境の下で、子ども（園児）が探索意欲を満たして自由に遊べるよう、身の回りのものについては、常に十分な点検を行うこと。</td></tr>
<tr><td>② 健康な心と体を育てるためには望ましい食習慣の形成が重要であることを踏まえ、離乳食が完了期へと徐々に移行する中で、様々な食品に慣れるようにするとともに、和やかな雰囲気の中で食べる喜びや楽しさを味わい、進んで食べようとする気持ちが育つようにすること。なお、食物アレルギーのある子ども（園児）への対応については、嘱託医（学校医）等の指示や協力の下に適切に対応すること。</td><td>② 身近な人に親しみをもって接し、自分の感情などを表し、それに相手が応答する言葉を聞くことを通して、次第に言葉が獲得されていくことを考慮して、楽しい雰囲気の中での保育士（保育教諭）等との関わり合いを大切にし、ゆっくりと優しく話しか（掛）けるなど、積極的に言葉のやり取りを楽しむことができるようにすること。</td><td>② 乳児期においては、表情、発声、体の動きなどで、感情を表現することが多いことから、これらの表現しようとする意欲を積極的に受け止めて、子ども（園児）が様々な活動を楽しむことを通して表現が豊かになるようにすること。</td></tr>
</table>

ここでは、「保育指針」の記述を掲載しているが、「教育・保育要領」の記述もおおよそ同じ内容となっている。下線部および（　）部は、「保育指針」の記述と異なる「教育・保育要領」で示されている記述である。なお、「教育・保育要領」では（1）（2）…と示されている。

図表 2-5　乳児（0歳児）の保育内容

4．1歳以上3歳未満児および3歳以上児の領域「環境」——「ねらい」「内容」「内容の取扱い」

(1) 1歳以上3歳未満児および3歳以上児の「ねらい」

2017（平成29）年の保育指針および教育・保育要領において、乳児（0歳児）保育に関する3つの視点同様に、1歳以上3歳未満児においては5領域が示されました。この5領域は、乳児（0歳児）保育に関する3つの視点および3歳以上児の5領域と連続性のあるものとして意識しながら、子どもの生活や遊びが充実できるように展開していくことが求められます。3歳以上児においては、従来の5領域と同様に示されていますが、1歳以上3歳未満児の5領域との連続性はもちろんのこと、小学校教育との円滑な接続を図ることを見据えてていねいに保育を展開していくことが求められています。

図表2-6には、領域「環境」の「目標」と「ねらい」を示しました。1歳以上3歳未満児および3歳以上児の「目標」は教育要領、保育指針、教育・保育要領とも共通して以下のように示されています。さらに、この「目標」を具現化した子どもの姿が「ねらい」であり、1歳以上3歳未満児では保育指針、教育・保育要領、3歳以上児では教育要領、保育指針、教育・保育要領の第2章にそれぞれ共通して3つあげられています。

「目標」
周囲の様々な環境に好奇心や探究心をもって関わり、それらを生活に取り入れていこうとする力を養う。

1歳以上3歳未満児　「ねらい」
①身近な環境に親しみ、触れ合う中で、様々なものに興味や関心をもつ。
②様々なものに関わる中で、発見を楽しんだり、考えたりしようとする。
③見る、聞く、触るなどの経験を通して、感覚の働きを豊かにする。

ここでは、「保育指針」の記述を掲載しているが、「教育・保育要領」では（1）（2）…と示されている。

3歳以上児　「ねらい」
(1) 身近な環境に親しみ、自然と触れ合う中で様々な事象に興味や関心をもつ。
(2) 身近な環境に自分から関わり、発見を楽しんだり、考えたりし、それを生活に取り入れようとする。
(3) 身近な事象を見たり、考えたり、扱ったりする中で、物の性質や数量、文字などに対する感覚を豊かにする。

ここでは、「教育要領」の記述を掲載しているが、「保育指針」では①、②…と示されている。

図表2-6　1歳以上3歳未満児および3歳以上児の「目標」「ねらい」

このように見ると、1歳以上3歳未満児の3つのねらいと3歳以上児の3つのねらいはそれぞれ連続性があり、領域「環境」における就学前までの教育・保育のビジョンが理解できることでしょう。保育者は、子どもが環境に積極的にかかわる機会をもてるようにし、それによって子ども自ら気がついたり、感じたり、考えることができる場や時間を保障することが、このねらいの姿を実現することにつながります。

（2）１歳以上３歳未満児および３歳以上児の「内容」

領域「環境」における「ねらい」に示された具体的な子どもの姿を実現するために、子どもに毎日の保育の中で繰り返し経験してほしいことが「内容」に示されています。

１歳以上３歳未満児は、発達がまだ未熟な状態でありながらも著しく発達する時期であるため、安全で安心できる環境の中で保育者や他児などとかかわることを通して、興味・関心をもって思いのままに触れたり試したり感じたりすることを繰り返し経験していくことが大切となります。それらの経験を通して、手先を使っておもちゃや道具を使って遊ぶことを楽しんだり、ものの性質や仕組みに気づいたり、自然や動植物に興味・関心をもち親しみをもってかかわるようになるのです。一方で、いつも使っている自分のものや場所、他児のものや場所についてもわかるようになり、親しみをもつようになるため、自分のものや場があることに安心する感覚をもてるようにすることも大切にしましょう。

３歳以上児は、さらに広がる身近な環境に好奇心・探究心をもって主体的にかかわっていきます。よって、保育者はより豊かな体験ができるような環境を計画的に構成すること

１歳以上３歳未満児　「内容」
①安全で活動しやすい環境での探索活動等を通して、見る、聞く、触れる、嗅ぐ、味わうなどの感覚の働きを豊かにする。
②玩具、絵本、遊具などに興味をもち、それらを使った遊びを楽しむ。
③身の回りの物に触れる中で、形、色、大きさ、量などの物の性質や仕組みに気付く。
④自分の物と人の物の区別や、場所的感覚など、環境を捉える感覚が育つ。
⑤身近な生き物に気付き、親しみをもつ。
⑥近隣の生活や季節の行事などに興味や関心をもつ。

１歳以上３歳未満児の「内容」は、「保育指針」の記述を掲載しているが、「教育・保育要領」の記述内容も同様となっている。なお、「教育・保育要領」では（1）（2）…と示されている。

３歳以上児　「内容」
(1) 自然に触れて生活し、その大きさ、美しさ、不思議さなどに気付く。
(2) 生活の中で、様々な物に触れ、その性質や仕組みに興味や関心をもつ。
(3) 季節により自然や人間の生活に変化のあることに気付く。
(4) 自然などの身近な事象に関心をもち、取り入れて遊ぶ。
(5) 身近な動植物に親しみをもって接し、生命の尊さに気付き、いたわったり、大切にしたりする。
(6) 日常生活の中で、我が国や地域社会における様々な文化や伝統に親しむ。
(7) 身近な物を大切にする。
(8) 身近な物や遊具に興味をもって関わり、自分なりに比べたり、関連付けたりしながら考えたり、試したりして工夫して遊ぶ。
(9) 日常生活の中で数量や図形などに関心をもつ。
(10) 日常生活の中で簡単な標識や文字などに関心をもつ。
(11) 生活に関係の深い情報や施設などに興味や関心をもつ。
(12) 幼稚園（保育所、幼保連携型認定こども園）内外の行事において国旗に親しむ。

３歳以上児の「内容」は「教育要領」の記述を掲載しているが、「保育指針」および「教育・保育要領」の記述もおおよそ同じ内容となっている。下線部および（　）部は、「教育要領」の記述と異なる「保育指針」および「教育・保育要領」で示されている記述である。なお、「保育指針」では①、②…と示されている。

図表 2-7　１歳以上３歳未満児および３歳以上児の「内容」

が重要となり、その環境に子どもが心を動かされたり、心を揺らして感じている姿などを見逃さずに、タイミングよくかかわることが大切です。また、子どもが環境にかかわる時間や場所を保障することによって、じっくりと試行錯誤する経験や新たに気づく経験、さらなる関心をもつ経験などにつながります。さらに行事や国旗等を通して広い視野をもって自分の生活する場やさまざまな国への関心を高める経験も大切にしましょう。

（3）1歳以上3未満児および3歳以上児の「内容の取扱い」

「内容」に示された経験してほしいことを、その時期の子どもの発達を踏まえて保育において行うに当たっての配慮が「内容の取扱い」です。1歳以上3歳未満児も3歳以上児も共通していることは、子ども自ら主体的に環境にかかわろうとする興味や関心、好奇心や探究心を大切にし、自ら思ったり感じたりわかったりしたことから得られた経験を積み重ねていく過程を大切にするということです。そして、保育者は何かを教えるのではなく、日常生活の中で子ども自ら環境とのかかわりを深めたり、さまざまな育ちにつなげられるように、環境の構成や再構成をていねいに行っていくことが求められます。

1歳以上3歳未満児　「内容の取扱い」
①玩具などは、音質、形、色、大きさなど<u>子ども</u>（園児）の発達状態に応じて適切なものを選び、遊びを通して感覚の発達が促されるように工夫すること。
②身近な生き物との関わりについては、<u>子ども</u>（園児）が命を感じ、生命の尊さに気付く経験へとつながるものであることから、そうした気付きを促すような関わりとなるようにすること。
③地域の生活や季節の行事などに触れる際には、社会とのつながりや地域社会の文化への気付きにつながるものとなることが望ましいこと。その際、<u>保育所</u>（幼保連携型認定こども園）内外の行事や地域の人々との触れ合いなどを通して行うこと等も考慮すること。

1歳以上3歳未満児の「内容の取扱い」は、「保育指針」の記述を掲載しているが、「教育・保育要領」の記述もおおよそ同じ内容となっている。下線部および（　）部は「保育指針」の記述と異なる「教育・保育要領」で示されている記述である。なお、「教育・保育要領」では（1）（2）…と示されている。

3歳以上児　「内容の取扱い」
(1) <u>幼児</u>（子ども、園児）が、遊びの中で周囲の環境と関わり、次第に周囲の世界に好奇心を抱き、その意味や操作の仕方に関心をもち、物事の法則性に気付き、自分なりに考えることができるようになる過程を大切にすること。また、他の<u>幼児</u>（子ども、園児）の考えなどに触れて新しい考えを生み出す喜びや楽しさを味わい、自分の考えをよりよいものにしようとする気持ちが育つようにすること。
(2) 幼児期において自然のもつ意味は大きく、自然の大きさ、美しさ、不思議さなどに直接触れる体験を通して、<u>幼児</u>（子ども、園児）の心が安らぎ、豊かな感情、好奇心、思考力、表現力の基礎が培われることを踏まえ、<u>幼児</u>（子ども、園児）が自然との関わりを深めることができるよう工夫すること。
(3) 身近な事象や動植物に対する感動を伝え合い、共感し合うことなどを通して自分から関わろうとする意欲を育てるとともに、様々な関わり方を通してそれらに対する親しみや畏敬の念、生命を大切にする気持ち、公共心、探究心などが養われるようにすること。
(4) 文化や伝統に親しむ際には、正月や節句など我が国の伝統的な行事、国歌、唱歌、わらべうたや我が国の伝統的な遊びに親しんだり、異なる文化に触れる活動に親しんだりすることを通じて、社会とのつながりの意識や国際理解の意識の芽生えなどが養われるようにすること。
(5) 数量や文字などに関しては、日常生活の中で<u>幼児</u>（子ども、園児）自身の必要感に基づく体験を大切にし、数量や文字などに関する興味や関心、感覚が養われるようにすること。

3歳以上児の「内容の取扱い」は「教育要領」の記述を掲載しているが、「保育指針」および「教育・保育要領」の記述もおおよそ同じ内容となっている。下線部および（　）部は、「教育要領」の記述と異なる「保育指針」および「教育・保育要領」で示されている記述である。なお、「保育指針」では①、②…と示されている。

図表 2-8　1歳以上3歳未満児および3歳以上児の「内容の取扱い」

第3章 保育内容・領域「環境」の展開について学ぼう

教育要領では「第２章　ねらい及び内容」、保育指針では「第２章　保育の内容」、教育・保育要領では「第２章　ねらい及び内容並びに配慮事項」において、保育内容の「ねらい」や「内容」等が示されており、保育者は各視点・各領域を踏まえて、毎日の保育がよりよく展開できるように取り組んでいます。

ここでは、領域「環境」について、実際の保育においてどのように考えて展開していけばよいのか、実際の保育における事例を通して考えていきましょう。また、「内容」の展開の事例には、主に関連する領域「環境」における「内容」を示しました。事例を読み解きながら参照してください。

1．乳児（0歳児）保育における３つの視点の展開 ―「身近なものと関わり感性が育つ」を中心に

（1）乳児に対する保育者の基本的なかかわり

乳児期は、心身ともに短期間に著しい発育・発達が見られます。そのため、保育者は、目の前の乳児の発達状況や毎日の様子を把握していくとともに、子どもの発達過程を踏まえて、乳児が自らもち合わせている力を発揮しながら、毎日の生活や遊びが充実されるような環境づくりをしていくことが重要です。

また、園では集団生活となるものの、一人一人の乳児の心地よい生活を保障していく意識をもちながら保育をすることが大切となります。それは、愛情ある保育者が日々の保育の中で、乳児の様子に寄り添い受容的・応答的にかかわることによって実現されていきます。乳児が今何をしたいのか、何を伝えようとしているのかなど、常に乳児の表情や声、動きなどから読み取り、言葉をかけたりしながら、タイミングよくかかわることが大切になります。

（2）乳児（0歳児）保育における「ねらい」および「内容」の展開

これらのことを踏まえて、主に領域「環境」とかかわりのある精神的発達に関する視点「身近なものと関わり感性が育つ」について、事例を通して考えてみましょう。

事例1

「いい音だね〜、楽しいね〜」（0歳児クラス）

最近、お座りができるようになったH美ちゃん（7か月）。今日も、保育者がそばで見守る中で、U字クッションに支えられながら機嫌よくお座りをして、ガラガラをもって振ったりなめたりしている。H美ちゃんは、保育者を見て「あっ……あっ」と声を出すので、保育者は目を合わせながら「はーい、いいね〜、音が鳴ってるね」とH美ちゃんに応えるように言葉をかける。H美ちゃんは笑顔を見せて「あ〜、あっ、あっ……」とさっきよりもはっきりと声を出して、ガラガラを大きく振るような姿を見せたので、保育者は「いい音だね〜、楽しいね〜……そうですか、よかったね〜」とH美ちゃんの動きをまねるように保育者も体を揺らしながら笑顔で応答的に言葉をかけた。すると、H美ちゃんはさらにガラガラを大きく振り、ガラガラが手から離れて飛んでいってしまい、H美ちゃんは自分の手からガラガラがなくなったことにびっくりした表情になった。保育者はガラガラを拾って、H美ちゃんがつかみやすいように渡す。H美ちゃんは差し出されたガラガラを手に取り、両手でもってなめている。

この事例において、H美ちゃんが保育室で機嫌よく遊んでいる姿から、保育室という場所がH美ちゃんにとって心地よい生活環境となっていることがわかります。具体的に見てみると、そばで保育者が見守る中で遊んでいること、H美ちゃんが保育者を見て呼んでいるように声を出していることから、保育者は愛着関係を形成した安心できる存在となっていて、心地よい生活をしていることが感じられます。また、保育者はH美ちゃんがお座りできるようになったものの、不安定さがあり倒れてしまう可能性も見据えて、U字クッションをおいて安全な環境づくりにも心がけていることが理解できるでしょう。

そして、保育者はH美ちゃんの声や動きをまるごと受け止め、H美ちゃんにわかるように目を合わせながら、応答的に言葉をかけることを繰り返しています。それは、H美ちゃんの姿や行為を肯定的に受け止め、そのやりとりを心地よく感じられることを大切にしたいのだと思います。このような経験の積み重ねをしていくことで、H美ちゃんがさらに世界を広げて身のまわりの大人や他児に期待をもってかかわろうとする姿につながっていくからです。このように見ると、保育者との愛着関係の形成は、子ども自ら生きていく社会を広げていく基盤となっていることが理解できます。

また、H美ちゃんは楽しかったためか、勢いよくガラガラを振ったことで手から離れて飛んでいってしまいました。そのときに、保育者は「危ないでしょ」「投げちゃだめよ」など、ネガティブな言葉をかけるのではなく、H美ちゃんの様子を理解して「あ〜あ、飛んじゃったね。びっくりしたね……、はいどうぞ」と肯定的に言葉をかけて、ガラガラを拾ってH美ちゃんに渡しました。これは、H美ちゃんのびっくりした表情をとらえていたために、H美ちゃんに悪気があって飛ばしたわけではないことや、発達の様子からもそのようなことは十分にあることが想定されていることなどを、保育者は総合的にとらえているからこそのかかわりといえるでしょう。

2．1歳以上3歳未満児における領域「環境」の展開

（1）1歳以上3歳未満児に対する保育者の基本的なかかわり

1歳以上3歳未満児は、基本的な運動機能が整ってきて、行動範囲が広がり自分でできることも増えてきます。そして、全身を使って遊ぶことや手先を使って道具を扱うことなども楽しむようになり、遊びの幅も広がる時期です。また、象徴機能の発達もなされ、見立て遊びやつもり遊び、簡単なごっこ遊びをするようになります。

しかし、自分のイメージしたようにできないことも多く、イライラしたりかんしゃくを起こすなどの姿が見られることもあり、保育者が子どもの気持ちを受け止めて応答的に根気よくかかわることが大切な時期となります。

領域「環境」の展開を考えるときには、一人一人の子どもに対する保育者のていねいなかかわりを大切にしながら、子ども自らが興味・関心をもち安心して遊んだり、時間や場所を保障してじっくりと遊べる環境の中で、さまざまな感覚を使って人やものに十分にかかわる経験を積み重ねていくことが大切です。

（2）1歳以上3歳未満児の保育における「ねらい」の展開

このような1歳以上3歳未満児の発達過程や様子を踏まえて、領域「環境」について事例を通して考えてみましょう。

「わー！　はっぱいっぱーい！」（2歳児クラス）

気持ちよく晴れた秋の日、2歳児クラスの6名と保育者2名が公園に遊びに行く。公園は一面、落ち葉がありF夫くん（2歳9か月）はちょっと興奮したように両手を広げて「はっぱ、いっぱいだねー」というので、保育者は「ほんとだね、はっぱのじゅうたんだね……それっ！」といって、落ち葉の上を走ると落ち葉を踏む音が聞こえてくる。F夫くんは驚いた表情のあとに、笑顔を見せて保育者と同じように走り出す。「おもしろいね、音が聞こえるねー」と保育者がいいながら今度は足を交互に動かして落ち葉を踏み鳴らす。すると、F夫くんは「カシャカシャだね……キャー！」と歓声を上げながら、足を交互に動かして落ち葉を踏み鳴らすことを楽しむ。そのうち、他児と目を合わせて「キャー！」と声を上げながら一緒に踏んだり、足をズルズルと引きずるように走って、落ち葉が舞い上がることを楽しむようになる。

そのうち、保育者は「こんなのはどうかしら？　いくよ～……」といって、落ち葉を両手にもって上に投げると、落ち葉はひらひらと地面に落ちた。それを見たF夫くんは「わー！　はっぱいっぱーい！」と両手を広げて叫ぶ。保育者は「そうだね、気持ちいいね～」というと、F夫くんは「気持ちいい～！……わー！」といいながら保育者のまねをして、落ち葉を上に投げて喜ぶ。他児も一緒に歓声を上げて楽しみ出した。

この事例２のＦ夫くんは、今回、はじめて落ち葉でいっぱいの公園の景色を見たのかもしれません。保育者は、Ｆ夫くんが新しい経験であることに気づいて、落ち葉を使って全身で楽しむことができるように働きかけたのでしょう。そして、その働きかけは、落ち葉の上を走ったり、踏み鳴らしたり、落ち葉を両手にもって上に投げてみたりとさまざまです。Ｆ夫くんは、この保育者の働きかけを目の前で見て、驚いたりおもしろいと思ったのでしょう。すぐに保育者のしていることをまねて、さらにおもしろく楽しくなって繰り返し楽しんでいることがわかります。

その際の保育者のかかわりはどのようなものでしょうか。Ｆ夫くんの思いを肯定的に受け止めて応答的な言葉かけをしています。そして、その言葉かけはＦ夫くんの動きや表情を見ながらタイミングを考えて、Ｆ夫くんが思いのままに楽しめるように配慮したかかわりをしていることが理解できます。

この時期の子どもは、さまざまなものや環境に自らかかわり、感じたり思ったり考えたりすることが重要です。そのため保育者が目の前の子どもの姿を見て、何ができる・できないといった枠で考えることは、「ねらい」に示された子どもの姿をとらえたときには、あまり意味をなさないでしょう。つまり、いかに子ども自らの諸感覚を存分に使って遊ぶ経験をしっかり積み重ねられる機会をつくっていくかということが、保育において大切になります。

（3）１歳以上３歳未満児の保育における「内容」の展開

次に１歳以上３歳未満児の「内容」にかかわる事例について確認していきましょう。

事例３

「裸足だと気持ちいいよ〜」（１歳児クラス）

園庭に出ると、いつものようにG男くん（1歳6か月）は自分で歩いて砂場にやってくる。一緒に来た保育者は「G男くん、お砂で遊ぶの？」と聞くと、何も答える様子はなかったが、砂の上の不安定さを感じながら慎重に歩きはじめる。そこで、保育者はG男くんの様子を見て「お砂の上歩くの楽しいね」と言葉をかけたが、やはり答えずに歩き続ける。その後は、保育者は、そばにいながらも静かに見守る。G男くんはしばらく歩き続けたあと、保育者と目を合わせてにっこり笑う。保育者は「そうだね、お砂の上歩くの楽しいね」と言葉をかける。

そして、保育者は「G男くん、こんなのはどうかしら？　気持ちいいよ」といいながら、靴を脱いで裸足で砂の上を歩く。G男くんは、保育者が裸足で歩く足をじーっと見る。保育者はG男くんの様子を見ながら、「裸足だと気持ちいいよ〜」といいながら歩き続ける。すると、G男くんは自分から靴を脱ごうとしたので、保育者が「手伝おうか？」と言葉をかけてG男くんの動きを見ながら援助する。裸足になったG男くんは、歩幅を小さくしながら、さらに慎重な足運びで歩く。すると、G男くんは保育者と目を合わせて再び笑顔を見せる。

<主に関連する１歳以上３歳未満児の「内容」>（本書 p.22 参照）

①安全で活動しやすい環境での探索活動等を通して、見る、聞く、触れる、嗅ぐ、味わうなどの感覚の働きを豊かにする。

③身の回りの物に触れる中で、形、色、大きさ、量などの物の性質や仕組みに気付く。

この事例のＧ男くんの月齢は、歩行が安定して自分で自由に歩けるようになり、自ら積極的に環境にかかわりながら自らしたい遊びをじっくりと楽しむ時期です。そして、迷わず自ら歩いて砂場に行く姿があるということは、砂場に興味・関心をもち、かかわろうとしていることが理解できます。Ｇ男くんは保育者が言葉をかけていることを気にも留めず、砂の上を歩いています。砂は柔らかくさまざまに変化するので、砂の上を歩くのは整備された道を歩くこととは異なり、バランスを上手にとって足元の微妙なコントロールを必要とします。Ｇ男くんは、その不安定さにおもしろさを感じて夢中になって楽しむ経験をしているのでしょう。

また、保育者は２回言葉をかけたものの、Ｇ男くんが何の反応もなく夢中になって遊んでいることから、言葉かけをするよりも静かに見守ることの大切さに気づいたのだと思います。保育者は、子どもが夢中になって遊ぶことを保育者として受け止めたい、共感したい、という思いから、何かしら働きかけようとしがちですが、そばでそっと“見守る”ことも大切です。その見守る姿勢を大切にしたからこそ、Ｇ男くんはそばにいた保育者に目を合わせて笑顔を見せて、自分の経験しているおもしろさや楽しさを伝えようとしたのだと思います。そう考えると、この一瞬は本当に素敵な場面であると感じます。

そのＧ男くんの感じたおもしろさや楽しさの共感から、保育者は自ら裸足になって歩く姿を見せて、Ｇ男くんの経験を広げていこうとしました。裸足で砂の上を歩くと、砂の感触を直接、感じられるからです。この時期の子どもはあらゆる環境を身体の諸感覚を使って楽しむことが大切であり、それが感覚の豊かさにつながっていくのです。Ｇ男くんのように積極的に挑戦しようとする子どももいれば、なかなか裸足になれず慎重になる子どももいます。子どもの様子を見ながら経験できるように援助していくことが大切となります。

事例４

「Ｍ斗がご飯あげたの。たくさん食べてた！」（２歳児クラス）

この園には、玄関入り口に金魚の水槽を子どもがのぞける位置に置いていて、その水槽には、大きい金魚が１匹、小さい金魚が２匹いる。Ｍ斗くん（２歳２か月）はその金魚の水槽をのぞいていることがよくあり、のぞきはじめるとしばらくじーっと見て動かない。

今日は、みんなで園庭に出て遊んでいるが、Ｍ斗くんは途中から玄関に入り金魚の水槽をのぞき込む。それを見た保育者が「Ｍ斗くんは金魚好きだね。どれが好きなの？」と聞いた。Ｍ斗くんは「うんと、これ！」と大きな金魚を指さす。保育者は「そうか。大きいもんね。お父さん金魚かな～？」と一緒に水槽をのぞき込みながら話す。すると、そのやりとりを見ていた園長が「Ｍ斗くん、金魚さんにご飯あげてくれる？　ちょうどお腹すいてると思うのよ」と餌が入っている缶を見せる。

Ｍ斗くんが大きくうなずいたので、園長は「お手々広げてね……はい、どうぞ。そうっと水槽に入れてね」とＭ斗くんの手のひらに餌を少量置く。Ｍ斗くんは緊張した表情でそうっと餌を入れた。金魚が水槽の中で餌を食べはじめる様子を夢中になって見ていた。

そして、午後のおやつがおわると、絵本コーナーで座って『きんぎょのひるね』（作・絵 / 奥野涼子、フレーベル館、1995）を見ている。保育者が気づいてそばに座ってしばらく見守る。Ｍ斗くんは、絵本の金魚を指さしながら「これ、金魚さんだよね。おんなじ」と保育者の顔を見ていう。保育者は「そうそう。園長先生にご飯あげてねってお願いされてご飯あげたんだもんね、よかったね」というと、Ｍ斗くんは「Ｍ斗がご飯あげたの。たくさん食べてた！」と少し声を大きくしてうれしそうに話す。

＜主に関連する１歳以上３歳未満児の「内容」＞（本書 p.22 参照）

③身の回りの物に触れる中で、形、色、大きさ、量などの物の性質や仕組みに気付く。

⑤身近な生き物に気付き、親しみをもつ。

園生活という身近な環境の中で、生き物が一緒に生活しているということは、領域「環境」の視点からとても大切なことです。そして、この時期の子どもは直接、生き物の世話をすることはむずかしい場合がありますが、この時期なりの生き物とのかかわりを経験できるように保育していくことが次の成長につながっていきます。

この事例では、Ｍ斗くんが玄関入り口に置いてある水槽で飼っている金魚にとても興味・関心をもっていることが理解できます。そして、この場面では園庭に出て遊んでいたのですから、保育者はこの日の遊びは、全身を使った遊びを計画していたのかもしれません。しかし、保育者はＭ斗くんが金魚の水槽を眺めている姿を見て、Ｍ斗くんの思いを尊重し、肯定的にかかわっています。特に、この時期の子どもは自分の興味・関心のままに遊ぶ姿があって当たり前ですから、この事例の保育者のように子どもの気持ちに寄り添い柔軟にかかわっていくことが求められます。

また、ここで園長は、Ｍ斗くんが金魚に興味・関心をもっていることを受け止め、餌をあげる経験を促しました。Ｍ斗くんにとっては、新たなドキドキワクワクした経験であり、自らあげた餌を食べる金魚の様子を見ることができて、金魚がさらに親しみある存在になったことでしょう。このように園で飼育している生き物は「みんなで育てる」思いがもてるように保育していくことが大切です。よって、保育者の連携もどのような立場であってもお互いに子どもにとってよい経験ができるように協力する関係性を大切にしていく姿勢が重要となります。

さらに、Ｍ斗くんは金魚を観察するだけではなく、金魚に餌をあげて金魚がそれを食べる姿を間近で見たことによって、興味・関心がさらに高まり、金魚の絵本を見る姿につながっています。その絵本を見ているＭ斗くんは、その日にあった金魚を通しての経験によってさまざまな思いでイメージを広げて絵本を見ることができたのではないかと思います。このように考えると、保育者が子どもの興味・関心をもったことにタイミングよくかかわり、さらなる経験につなげていくことの大切さが理解できることでしょう。

事例５

Ｌ乃ちゃんのマークは“きりんさん”（２歳児クラス）

Ｌ乃ちゃん（2歳10か月）が使う靴箱やロッカーには、自分のマークであるきりんのシールが貼ってある。Ｌ乃ちゃん自身も、自分のマークがきりんのマークであることを理解している。

今日は、天気もよいのでクラスの数人のグループで、散歩に出かけようと靴下や帽子のかごをテラスに出して、準備をはじめた。Ｌ乃ちゃんはテラスに出てくると、靴下の箱をのぞき込み、自分の靴下を探しながら「Ｌ乃はきりんさんなの～」とうれしそうにつぶやく。保育者は、それを聞いて「きりんさんのところにあるかな？」と言葉をかけると、Ｌ乃ちゃんは「ん～……あった！」と靴下を手に取って上にあげて保育者に差し出す。保育者はその靴下を受け取りながら「お～、よかったね。じゃあ、帽子も一緒にもってくる？」というと、Ｌ乃ちゃんは「うん！　きりんさん、きりんさん……あった！」といいながら帽子を取るが、きりんのシールを指で押しはじめる。保育者は「Ｌ乃ちゃん、どうした？」と聞くと、Ｌ乃ちゃんは「きりんさん……とれちゃうの」と小さな声でいう。保育者はＬ乃ちゃんと一緒に帽子入れをのぞき込み「あ～、ほんとだね。きりんさん、はがれそうだね。これはかわいそうだね。セロハンテープで直そうか？」と言葉をかける。Ｌ乃ちゃんは、「そうする！」という。保育者は「みんながお外に出たらＬ乃ちゃんと一緒に直すから待てるかな？　いい？」と聞くと、Ｌ乃ちゃんは、大きくうなずいて保育者のとなりに座って待っていた。

<主に関連する１歳以上３歳未満児の「内容」>（本書 p.22 参照）
④自分の物と人の物の区別や、場所的感覚など、環境を捉える感覚が育つ。

この時期の子どもは、まだ自分の名前を文字で認識することがむずかしいために、個人の靴箱やロッカーには、個人のマークをつけて示していくことがよくあります。それによって、自分の靴やロッカーなど個人の置き場所がわかるようになり、自分のものと人のものの区別をすることができるようになります。この事例からＬ乃ちゃんは、自分のマークはきりんであり、自分の場所にはきりんのシールが貼ってあることを理解していて、そのきりんにも親しみをもっている様子がうかがえます。そして、毎日見るきりんのマークに親しみがあるがゆえに、自らの靴下や帽子を探すことが楽しみになっていくのです。

しかし、帽子を探していたＬ乃ちゃんは、無事に自分のきりんのマークを見つけ帽子を手にしたにもかかわらず、はがれそうなきりんのシールを見てＬ乃ちゃんなりにショックを感じたり心配をしたのでしょう。保育者は、そのＬ乃ちゃんの気持ちをしっかり受け止めて「一緒に直す」ということをしています。また、ほかの子どもの対応があったことから、Ｌ乃ちゃんに一緒に直すまでの見通しをていねいに伝えて、待つことも楽しみにできるようにしているのです。これにより、Ｌ乃ちゃんは自分の親しみあるきりんのシールを直す楽しみをもち、しっかりと直す経験ができたのです。

シール１枚のことですし、おそらく新しい同じシールも保管してあり、新しいシールを貼ることもできたでしょう。しかし、Ｌ乃ちゃんにとって、このきりんのシールは毎日をともにした親しみのある、ほかには変えられない園生活に欠かせない環境の一つでした。この事例のように保育者は子どもの気持ちに気づき、ていねいに寄り添うことが求められます。

3．3歳以上児における領域「環境」の展開

（1）3歳以上児に対する保育者の基本的なかかわり

この時期の子どもは、運動発達がなされて基本的な動作を獲得していき、体をより滑らかに動かして遊ぶようになったり、食事などの生活習慣も自立に向かっていきます。言葉を使ったコミュニケーションも盛んになり、「どうして？」「なんで？」といった知的な興味・関心も高まり、自ら確かめたり調べたり、試行錯誤しながら工夫を重ねていくなどの姿が見られるようになります。

また、友達とのつながりも深まっていき、保育者よりも仲間と遊ぶことが楽しくなり、鬼ごっこやドッジボールなどの集団遊びを楽しんだり、集団で何かをつくり上げたりする協同的な活動が展開されるようになります。思いや考えの違いからいざこざを起こしたりすることもありますが、その経験を積み重ねていくことによって、友達の思いと自分の思いの折り合いをつけてお互いに楽しく遊べるようになります。

保育者は、このような子どもの発達特徴を踏まえ、一人一人の子どもの育ちと集団としての活動を充実したものにしていくことに配慮しかかわっていくことが大切となります。

（2）3歳以上児の保育における「ねらい」の展開

このような3歳以上児の発達過程や様子を踏まえて、領域「環境」について、事例を通して考えてみましょう。

事例6

「ほんとだー、形も色も違うんだね、どうしてなんだろうね」（4歳児クラス）

4歳児クラスで公園に行くと、たくさんの落ち葉で地面が埋め尽くされていた。A子ちゃんは「わー、すごーい！」というので、保育者が「落ち葉で地面が見えないねー！」という。はじめはみんなで落ち葉踏みや枯れ葉を投げ合って歓声を上げながら楽しむ。そのうち、A子ちゃんが落ち葉を拾いはじめ「先生、いろんな葉っぱがあるよ。ほら」といって、保育者に見せに来る。保育者は「ほんとだー、形も色も違うんだね、どうしてなんだろうね」という。そのやりとりを見ていたB菜ちゃんが「A子ちゃん、一緒にきれいな落ち葉探そう！」といい出し、2人で形や色がきれいな落ち葉集めがはじまる。A子ちゃんとB菜ちゃんが一緒に落ち葉集めをしているうちに、A子ちゃんが「ここはこの葉っぱが多いね～……あっ！　ほら！（その近くの木を見上げる）、ここから落ちてるんだよ」と発見したように大きな声で木を見上げながら指をさしていう。B菜ちゃんが「ほんとだ～！　こっから落ちてきたんだ……先生、先生！」と保育者に知らせに行く。

この事例６のＡ子ちゃんや友達は、おそらく事例２（本書 p.26 参照）のＦ夫くんのような遊びを経験していることが想像できます。それは、保育者が何もいわなくても、落ち葉踏みや落ち葉投げを子ども同士で楽しんでいるからです。そして、その遊びを楽しんだあと、Ａ子ちゃんは落ち葉にもさまざまな形や色があることに気づいて保育者に伝えています。大人にとっては秋という季節は何度となくめぐってきていますが、Ａ子ちゃんが記憶していることも含めると貴重な秋という季節の新しい出会いや発見でいっぱいです。

そこで、保育者は、Ａ子ちゃんの新しい出会いや発見に肯定的に共感する言葉をかけながらも、さらに「……どうしてなんだろうね」というもう一つ深めた疑問を投げかけています。それと同時に、Ａ子ちゃんと保育者のやりとりに魅力を感じたＢ菜ちゃんが、一緒に落ち葉集めの遊びに加わり、新たな遊びが大きく展開されています。ここがいわゆる３歳以上児の遊びのおもしろさなのだと思います。

Ａ子ちゃんもＢ菜ちゃんも、今したい遊びとなっている落ち葉集めではあるけれども、「……どうしてなんだろうね」という保育者の働きかけによって、解決しようという率直な思いはなくとも、内面で保育者が問いかけた疑問を抱えながら遊びを続けていたのだと考えられます。だからこそ、Ａ子ちゃんは落ち葉集めをしている中で、同じ種類の落ち葉が集まっていることに気づき、その樹木からの落ち葉であることの発見につながったのだろうと思います。

このように考えると、３歳以上児の保育では、保育者のかかわりはどちらかというと直接的なかかわりではなくて、さり気ない間接的なかかわりに近いものであり、それが保育を充実させていく働きかけとなり、子ども自らが新たな出会いや発見をする活動の大きな展開へとつながっていくようになることがわかります。子どもはその発達状況なりの経験がなされることによって、次の新たな経験へとつながっていることが理解できると思います。その際、保育者が何かを教えるのではなく、子ども自ら環境にかかわり、感じたり、考えたり、発見したりできるように、一人一人の子どもの発達状況やそのときの様子に合わせてさり気なく援助していく姿勢をもった働きかけが重要なのです。

また、子どもの発達に合わせて年齢区分された保育内容の「ねらい」が示されることによって、保育者が今目の前の子どもがどのような子どもに育ってほしいか、というビジョンをスモールステップで考えられることは、保育を計画し実践していくに当たって、非常に有効な目安であるといえます。保育者としてのビジョンをもって、子どもとかかわり続ける姿勢を何より大切にしながら、子どもの健やかな成長を保障してほしいと思います。

（３）３歳以上児の保育における「内容」の展開

では次に、３歳以上児の「ねらい」を踏まえた「内容」にかかわる事例について確認していきましょう。

事例７

「ほら、まだまだ書けるよ！」（5歳児クラス）

夕方の自由遊びのひとときに、Ｎ介くん、Ｊ吾くんが、廃材コーナーのテーブルを囲んで廃材製作をしている。廃材製作コーナーでは、廃材を集めている大きな箱を置き、切れ端となった画用紙や色紙は赤色系・黄色系・青色系に分類してそれぞれ手提げ袋に入れて壁にかけている。短くなった色鉛筆同士、鉛筆同士をテープでつなげてそれぞれ箱に入れ、１セットでなくなった色サインペンも同様に箱に入れて棚に並んでいる。Ｎ介くんは、廃材でロケットをつくっており、画用紙の切れ端が入っている青色系の手提げ袋をのぞきながら「えっと……どうしようかな……」と迷いながら濃い水色と薄い水色の画用紙の切れ端を取り出す。「どっちにしよっかな」とＮ介くんがいうと、Ｊ吾くんは濃い水色の画用紙を指さし、「ロケットはこっちがかっこいいよ」という。Ｎ介くんが納得したように「そうだね、そうする！」という。そして、Ｎ介くんは、箱に入っている鉛筆を取り出しながら「俺の鉛筆は……これ、見て！　こんなんだよ。すっごいだろ!!」とＪ吾くんに見せる。Ｊ吾くんは「すっごい使ったな、まだ書けるの？」と笑いながらいう。Ｎ介くんは、濃い水色の画用紙にその短い鉛筆で丸い窓を書きながら「ほら、まだまだ書けるよ！」とうれしそうに話す。

<主に関連する３歳以上児の「内容」>（本書 p.22 参照）

（7）身近な物を大切にする。

（8）身近な物や遊具に興味をもって関わり、自分なりに比べたり、関連付けたりしながら考えたり、試したりして工夫して遊ぶ。

園における製作活動においては、画用紙や色紙、サインペン、色鉛筆・鉛筆などのさまざまな素材を使用します。しかし、活動後には必ず切れ端が出たり、色がそろっていたサインペンや色鉛筆も色がそろわなくなったり、鉛筆や色鉛筆は短くなってしまったりするでしょう。そのような素材をどのように保育の中に取り入れていくかが「ものを大切にする」という気持ちを育んでいきます。

この事例では、保育室に廃材製作コーナーをつくり、まだ使える画用紙や色紙の切れ端は色の系統で３つに分類して整理して手提げ袋に入れて選びやすいようにしたり、色がそろわなくなったサインペンや色鉛筆などを使いやすいように箱に入れて棚に置き、自由遊びの時間に子どもがいつでも製作を楽しみやすいように環境を整えています。このような素材を選びやすく使いやすい環境を整えることで、子どもの製作遊びへの意欲をふくらませていくことでしょう。

Ｎ介くんは、このような廃材製作コーナーがあることで、水色にも濃淡があることに気づき、それを比較して自分のイメージをもちながら選んだり、Ｊ吾くんに相談する姿が生まれています。また、Ｎ介くんにはいつも使う“お気に入りの鉛筆”があり、親しみをもちながら大切に使う様子が感じられます。このように、保育の中で今あるものを最後まで使う経験ができたり、ものに親しみをもって大切に使おうとする気持ちを育むことができるような環境づくりをしていくことが大切となります。

事例8

「せんせい……」（4歳児クラス）

たくさんのカブトムシの幼虫を飼育している大きな箱がテラスにあり、毎週火曜日にみんなでその飼育箱の掃除をしている。その掃除とは、シートの上に飼育している土と幼虫を広げて、フンを取り出しもとに戻すというものである。

今日は、火曜日なので、S吾くんは登園するとすぐに保育者に「先生、カブトムシのお掃除しようよ！」といい、楽しみにしていた。保育者は「そうだね。やろうね」といってシートを広げるとS吾くんはほかの子どもと一緒に飼育箱をもってきて、「先生、もってきたよ！」と張り切っていう。保育者は、その飼育箱を受け取り、飼育箱の土と幼虫を広げると、子どもたちは待っていたかのように、ふるいやシャベルを棚から出してきたり、自分たちで手袋をしてフンを取り出しはじめる。S吾くんは、手袋をして土の中に直接手を入れて土を反したり広げたりしながら、友達と張り切って一生懸命フンを取り出していた。すると、急にS吾くんは手を止める。土をつかんでいたと思ったら、1匹の幼虫を思わずつぶしてしまったのだ。S吾くんは手を止めて「せんせい……」とショックの表情でいうと、保育者はすぐに理解して、「S吾くん、大丈夫だよ。一生懸命掃除をしてくれていたんだよね。あとで、土に埋めてあげようね」といってつぶした幼虫を受け取った。そして、掃除がおわるとS吾くんやその友達で花壇に静かに埋める。

＜主に関連する3歳以上児の「内容」＞（本書 p.22 参照）

(1) 自然に触れて生活し、その大きさ、美しさ、不思議さなどに気付く。

(5) 身近な動植物に親しみをもって接し、生命の尊さに気付き、いたわったり、大切にしたりする。

(8) 身近な物や遊具に興味をもって関わり、自分なりに比べたり、関連付けたりしながら考えたり、試したりして工夫して遊ぶ。

この時期の子どもたちは、生き物を飼育することに興味・関心が高まっていきます。たとえば、カブトムシだったらそのカブトムシの種類は何か、何を食べるのか、どのような環境づくりが必要なのか、どのような世話が必要なのかということを、子ども自ら図鑑などで調べたりして知り、それを実現しようとするのです。また、それらの知識を使って子どもたちで世話をしていく中で、少しずつ成長したり変化が起こったりすることにさらに興味・関心が高まっていきます。保育者は、そのような子どもの興味・関心をタイミングよくとらえて主体的な活動につながるような援助をしていくことが大切です。

この事例では、子どもたちが主体的にカブトムシの世話をしようとする姿があり、毎日の園生活で世話をする経験を積み重ねていることがうかがえます。そして、その世話の一つが土からフンを取り出すという掃除です。子どもたちは、フンを取り出すためにはふるいやシャベルが便利で効率がよい道具ということを理解していて、保育者が何もいわなくても自分たちで道具を出して意欲的に掃除をしています。この際、子どもの手が届く出しやすい場所に置く環境づくりをしているから、このように主体的な子どもの行動が保障されることを忘れてはいけません。何気ないこの一場面が保育者の環境づくりによって実現し、子どもたちの充実した経験とよりよい育ちにつながるのです。

さらに、ここでS吾くんに思いもよらない「幼虫をつぶしてしまう」という出来事が起こります。張り切って土の掃除をしていただけに、S吾くんにはショックな出来事だったことでしょう。また、まわりにいたほかの子どもも気づいたでしょうし、それらを保育者は理解していたので、「S吾くん、大丈夫だよ。一生懸命掃除をしてくれていたんだよね。あとで、土に埋めてあげようね」というように、S吾くんががんばって取り組んでいたことを言葉にして、S吾くんの気持ちを肯定的に受け止めて、どうすればよいかについてもさり気なく言葉にして、S吾くんの不安も取り除いています。

生き物の飼育では、実はこのように子どもが生き物の命を大切にしようと思い世話をする中で、悲しい出来事が起こることもしばしばあります。生き物の世話をしたり育てるということは、子どもにとって楽しいことばかりではありません。ときに残酷な結果になり、悲しい思いを経験することもあるのです。その経験も含めて「生き物を飼育する」ことなのです。生き物に対して楽しい経験、苦い経験、悲しい経験を積み重ねてはじめて生命を尊重する大切さを学んでいくことを意識して保育をしてほしいと思います。

事例9

「♪あかりをつけましょぼんぼりに～♪」（3歳児クラス）

保育者3人が玄関入り口でひな人形を飾る準備をはじめた。段をつくるところからはじまり、「三人官女は……」など話しながら飾っている。そこに、O佳ちゃんとK美ちゃんが来て「何やってるの？」と聞いたので、保育者が「もうすぐひな祭りだから、みんなのひな人形を飾ってるんだよ」と答える。「O佳ちゃんのお家にもあるよ。だけど、こんなに大きくないよ」というので、保育者は「O佳ちゃんのお家では、どんなお人形さんなの？」と聞くと、「男の人と女の人、2人なんだ」と答えた。「そうか、お内裏様とお雛様なんだね。園のお雛様は……これなの。どうかしら？」とお雛様を見せながら聞く。O佳ちゃんは、「わぁー。お家のお雛様と違う。お家のはもっとかわいい！」といい、笑う。すると、K美ちゃんが「K美んちも飾ってるよ。先生も、なんでこうやって飾ってるの？」と質問する。保育者は「園にいる女の子が元気に健やかに育ちますように、幸せになりますようにっていう思いを込めた節句なのよ。先生がこの園に来るずっと前から園の女の子のこと、ひな人形はずっと見守ってくれてるのよね。だから、みんなが楽しく園で遊べるのかもね」と答えると、K美ちゃんはさらに「へぇ、じゃあ大事なんだね」といったので、保育者は「そうだね。大事に大事にこうして飾りたいね」という。K美ちゃんは「じゃあ、K美お手伝いしたい！」というので、保育者が「そうか、じゃあ出番が来るまでここで待ちながら見ててくれる？」というと、O佳ちゃんもK美ちゃんも座り、そのうちO佳ちゃんが「♪あかりをつけましょぼんぼりに～♪」と口ずさみはじめ、2人で体を揺らしながらうたって楽しむ。

<主に関連する3歳以上児の「内容」>（本書 p.22 参照）

（6）日常生活の中で、我が国や地域社会における様々な文化や伝統に親しむ。

（7）身近な物を大切にする。

ひな祭りは、日本の文化であり伝承行事（本書 p.122 ～ 123 参照）の一つです。近年、子どもたちの家庭では段飾りのひな人形を飾るということは少なくなってきている傾向があり、園で段飾りのひな人形を飾ることは、文化の継承として大きな意味をもちます。つまり、このような日本の文化や伝承行事を大事につないでいく役割が園にはあるのです。

園の行事について、多くの子どもたちが集まって集会形式で経験していくこともよくありますが、あえてそのような形式ではなく、日常の園生活の中で経験していくことも大切です。なぜならば、もともと行事は、日常生活と強く結びついたものだからです。たとえば、七夕は笹飾りをしたり、お月見は夜月を見ながらお団子を食べたり、節分はイワシの頭と柊の葉を玄関に飾ったりすることがあげられます。

その一つが、この事例のようにひな人形を子どもが生活したり遊んだりする時間に飾ることだと思います。保育者がひな人形を飾ることをスムーズにおえようとするならば、子どもがいない時間や午睡時間等に飾ることもできます。しかし、あえて子どもたちが生活したり遊んだりしている時間に飾ることによって、子どもがその様子に興味・関心をもち、O佳ちゃんのように家庭でのひな人形との違いに疑問をもったり気づいたりすることができます。このようなひな人形を飾るということも保育の環境づくりとしてとらえて、子どものよりよい経験へとつなげていけるようにすることが重要といえるでしょう。

また、K美ちゃんがなぜ園でも飾っているのかという疑問を抱くことから、園のひな人形が昔から大切にされたくさんの女の子の健やかな成長と幸せを願い飾られてきたことを知り、K美ちゃんなりに、その長い年月に思いを寄せていることが理解できます。そこにみんなで“大切にすることの意味”を感じるようになるでしょう。この思いが、みんなで使うおもちゃや道具を大切にする、といった思いにもつながるかもしれません。よって、みんながかかわるさまざまなものに、大切な思いが詰まっていることを保育者はていねいに伝えていく姿勢が大切になります。

事例 10

「氷つくりたい！」（5歳児クラス）

冬の寒い朝、P雄くんは小走りで両手に大きな氷の板を抱えて登園してきた。P雄くんは「先生、先生、こんな大きな氷があったよ！」とうれしそうに興奮したように伝えてきた。保育者が「わぁ！　すごい大きいね。どこにあったの？」というと、「ここに来る途中の公園の前だよ。水たまりが氷になったんじゃない？」と答える。ほかの子どもたちも集まってきて、触れようとする。D介くんがしゃがんでその氷の下にもぐり、氷を見上げると、「わぁ、きれい！」と叫ぶ。すると、数人の子どももD介と同じような姿勢になり見上げると「ほんとだ！」「すげー！」と次々に叫ぶ。透き通った氷が太陽の光でキラキラ光っていたのだ。保育者は、「何がすごいの？」と聞くと、D介くんが「キラキラしてるんだよ！　まぶしい！」と、興奮をして伝えようとする。たくさんの子どもたちが集まってきたので保育者が「どれどれ、先生がもってみんなでのぞけるようにしてみていいかな？」とP雄くんにいうと、P雄くんも見たいようで、保育者に氷を手渡す。保育者は氷をもって高い位置にして見上げる。すると、歓声が上がった。P雄くんが「わかった！太陽の光が氷に当たってキラキラするんだ！」」と叫び、D介くんが「氷つくりたい！」といい出し、保育者が「そうだね。おもしろそうだね。どうやったらできるかな」というと、P雄くんが「これ、水たまりだったから、どっかに水をためて氷になることを待つんじゃない？」というと、子どもたちが次々と氷をつくるための道具を考えて集めはじめる。

<主に関連する３歳以上児の「内容」>

（本書 p.22 参照）

（1）自然に触れて生活し、その大きさ、美しさ、不思議さなどに気付く。
（2）生活の中で、様々な物に触れ、その性質や仕組みに興味や関心をもつ。
（3）季節により自然や人間の生活に変化のあることに気付く。
（4）自然などの身近な事象に関心をもち、取り入れて遊ぶ。

この事例は、寒い冬の季節ならではのワクワクするような楽しい出来事です。P雄くんが発見してもってきた１枚の大きな氷が子どもたちの活動につながっています。P雄くんは水が冷えると凍ることを知っていたものの、大きな板になるような氷ははじめて見たのでしょう。P雄くんには大発見だったのだと思います。それを保育者や友達に伝えたい思いでいっぱいになり、氷をもってきます。まわりの子どもたちもその氷を見て、興味・関心が一気に高まっています。さらに、D介くんが何気なくしゃがんで氷の板の下にもぐり込んだことで、キラキラ光る氷を発見します。子どもにとって大発見です。P雄くんやほかの子どもたちも見られるように保育者が氷をもつことで、D介くんの発見がみんなに共感され広がっていくことになるとともに、P雄くんは“どうして光るのか？”という疑問をもち考えることにつながっていきます。そして、太陽の光によって、氷が光ってキラキラすることに気づくのです。氷の下からのぞいたキラキラした景色は、水たまりから偶然できた氷と太陽の光のコラボレーションであり、その自然の美しさというのは言葉では表せないほどの美しさです。この美しさを経験できたことは、心にも残り、子どもの感性を豊かにすることにもつながったと思います。

P雄くんやD介くんを通して得られたこの発見の連続は、「氷づくり」という活動につながっていきます。保育者は、ここまでのかかわりを「～しなさい」「～したほうがいい」「順番ね」など、子どもの行動を指示したり、制限したりすることをせず、肯定的にとらえて「何がすごいの？」「どうやったらできるかな？」など子どもから具体的にどのように思ったり感じたりするのかを言葉で引き出すような援助を繰り返しています。このような援助は、ときに保育者のイメージするよりも遠まわりをする展開にもなる可能性はありますが、その過程こそが子どもが経験している道のりとしてとらえて、根気よく肯定的に寄り添っていくことが重要です。

第4章 保育の過程について学ぼう

1. 保育の過程

保育という言葉は、日本で最初の官立幼稚園である、東京女子師範学校附属幼稚園の規則の中ではじめて用いられました。その意味は、「保護と育成」であり、家庭における子育てと異なり、幼稚園や保育所、認定こども園など就学前の子どものための保育施設において保育者によって日々営まれる子どもへのかかわりを指します。

子どもは、それぞれの園の環境の中で、生活や遊びを通してさまざまなことを経験して発達していきます。その発達に対して適切な援助で意図的にかかわる役割を担う保育者には、保育を見通す力が必要です。その見通しこそが保育の過程（プロセス）であり、子ども理解、保育の計画（指導計画の作成）、保育の実践、保育の評価と省察、保育の改善になります。

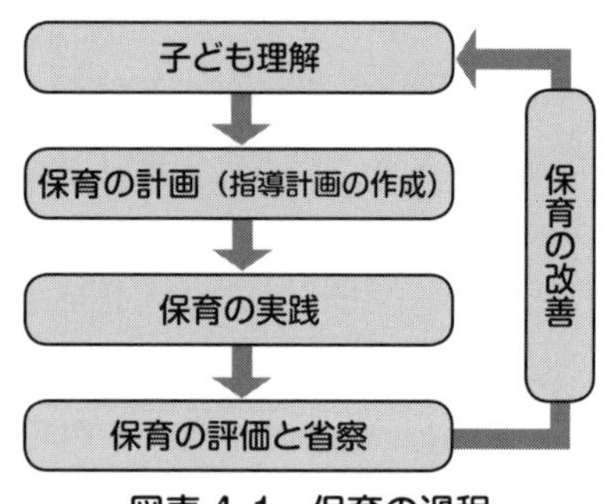

図表 4-1　保育の過程

柴崎正行編『改訂版　保育内容の基礎と演習』わかば社、2018、p.16

2. 子ども理解

（1）保育における子ども理解とは

『幼児理解に基づいた評価』（文部科学省）には、幼児理解とは、幼児の行動を分析・解釈することや一般化された幼児の姿を基準として優劣を評定することではなく、幼児と直接触れ合う中で、言動や表情から思い・考えなどを理解しかつ受け止め、その幼児のよさや可能性を理解しようとすることと明記されています[1)]。これは、年齢に応じた子どもの発達や発達過程に関する知識を踏まえて、実際の子どもの姿を理解するということに加え、子ども一人一人の内面を深く理解することであり、単に子どもの姿をとらえることに留まらないことを意味しています。

保育という営みは、日々、保育者が子どもと生活をともにしながら、遊びやそのほかの活動を通して一人一人の気持ちに寄り添いその育ちを支えることです。そのため、子ども理解は、保育実践の基盤となるのです。

（2）子ども理解の方法

子ども理解の方法を探る手がかりとして、いくつかの視点があります。

１点目は、子どもの情報を収集することです。具体的には、子どもの行動や発言、表情などの外面的な育ち、動機や意欲、欲求や感情、気持ちや認知・思考などの内面的な育ち、そして、性格や身体面など発達的な特徴、園での人間関係や家庭環境など子どもを取り巻く背景などになります。２点目は、子どもの育ちを踏まえた上で保育の活動内容を考えることです。保育者は、保育の目的やねらいに合わせて保育教材や環境構成などを考えて日々の保育実践を展開する必要があることから、適切な時期に発達に合った形での活動の提案や工夫が必要になります。３点目は、個と集団の育ちの理解になります。保育は、子どもの一人一人の興味や関心、自由な発想が出発点であることを基本姿勢としていますが、一般的な保育活動においては、集団生活をもとに展開されていくことが多くあります。子どもは、一人でいるときと集団の中にいるときとではその行動が変化することもあります。

このことから、子ども理解には、一人一人の子どもの行動特性の把握だけではなく、保育の流れや子ども同士のかかわりにより保育活動に変化や影響が生じてくることを意識する必要があります。

3．保育の計画

（1）保育における計画の意義

日本の就学前の保育施設における保育の土台となるものは、教育要領、保育指針、そして教育・保育要領になります。

保育における計画について教育要領では、「第１章　第３教育課程の役割と編成等」において、「幼児の心身の発達と幼稚園及び地域の実態に即応した適切な教育課程を編成する」としています。「教育課程」とは、幼稚園に幼児が入園してから修了までの園生活全期間の中で身につける経験の総体を示したものです。また、保育指針では「第１章　３保育の計画及び評価」で、保育所は「各保育所の保育の方針や目標に基づき、子どもの発達過程を踏まえて、保育の内容が組織的・計画的に構成され、保育所の生活の全体を通して、総合的に展開されるよう、全体的な計画を作成しなければならない」としています。「全体的な計画」とは、子どもの発達過程を踏まえながら、子どもの在籍期間中の保育が生活の全体を通して総合的に展開されるように作成された計画を示したものです。さらに、教育・保育要領においても、認定こども園という施設の役割と機能から、保育所と同様に全体的な計画の作成が規定されており、教育および保育の内容と子育て支援等に関する計画の充実が明記されています。

このように幼稚園や保育所、認定こども園では、教育課程や全体的な計画を編成・作成しなければならないものとして規定されています。各園は保育理念を掲げ、保育方針や保育目標に基づいた教育課程や全体的な計画を編成・作成し、独自の保育活動を展開しています。このように教育課程や全体的な計画は、各園の保育における指標となっています。

（2）子ども理解に基づく計画

教育要領や保育指針、教育・保育要領などでは、保育の基本や方向性が示されているものの、具体的な保育の内容や方法、そして、保育で使用されるような保育教材や環境構成などが細かく示されているわけではありません。そのため、保育の計画をしっかりと立てた上で、一人一人の子どもの発達にふさわしい適切な保育内容や方法を考える必要があります。保育には、それぞれの園がもつ保育の目的や目標があり、子どもの主体性や自発性を重視しています。保育の対象となる乳幼児には、それぞれその時期に発達していく過程があることから、一人一人の育ちの方向性を見通して計画的に保育が行われる必要があります。

（3）計画の種類と内容

教育課程や全体的な計画は、それぞれの園における園生活全体を見通した大きな計画といえますが、実際に保育を行うためには、より具体的な計画が必要になります。それが、「指導計画」であり、教育課程や全体的な計画に基づいて、保育目標や保育方針などを具体化する計画という位置づけになります。指導計画の種類としては、年間指導計画や期間別指導計画、月間指導計画（月案）などの長期の指導計画と、週間指導計画（週案）や一日指導計画（日案）などの短期の指導計画があります。

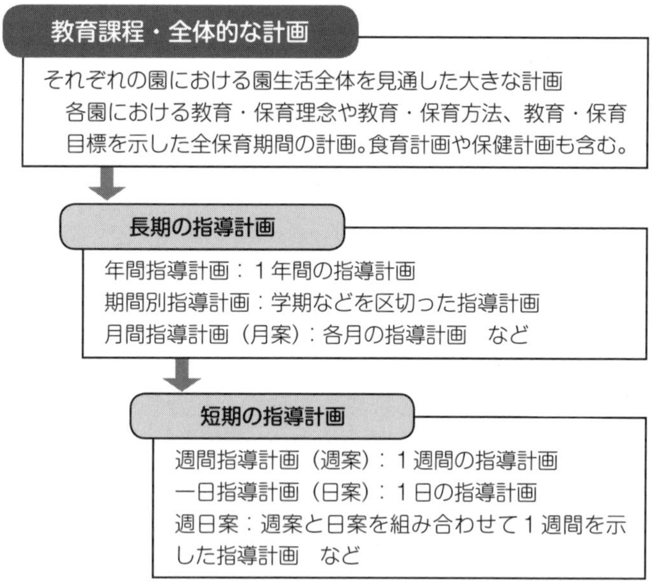

教育課程・全体的な計画

それぞれの園における園生活全体を見通した大きな計画
各園における教育・保育理念や教育・保育方法、教育・保育目標を示した全保育期間の計画。食育計画や保健計画も含む。

↓

長期の指導計画

年間指導計画：１年間の指導計画
期間別指導計画：学期などを区切った指導計画
月間指導計画（月案）：各月の指導計画　など

↓

短期の指導計画

週間指導計画（週案）：１週間の指導計画
一日指導計画（日案）：１日の指導計画
週日案：週案と日案を組み合わせて１週間を示した指導計画　など

図表 4-2　保育の計画

4．指導計画の作成

（1）指導計画作成の手順

指導計画は子ども理解に基づいて作成することは先に述べた通りですが、具体的には次のような手順で作成します。

① 子どもの発達をとらえる

指導計画は、子どもの発達の状況を踏まえて、園生活を見通すことが基本となります。その際、各年齢の子どもたちがどのような時期にどのような道筋で発達しているかという発達過程をとらえるとともに、子ども一人一人の発達をとらえることが重要です。

② 具体的な「ねらい」と「内容」を設定する

次に、子どもの生活の実態に即して、「ねらい」と「内容」を設定します。子ども一人一人の興味・関心がどのようなことにあるのか、生活や遊びへの取り組みの状況はどうか、保育者や友達との人間関係はどうかなどを把握し、この時期に育てたいこととしての「ねらい」と、子どもに経験してほしいこととしての「内容」を具体的に設定します。

③ 環境の構成を考える

設定した「ねらい」を達成するために、子どもに経験してほしい「内容」が実現できるよう、必要な環境を考えます。何を用意するかだけでなく、どのように用意するかということや、一緒に取り組む仲間等の人的環境、場や空間、時間なども環境を考える重要な視点です。

④ 活動の展開と保育者の援助を考える

設定した「ねらい」と「内容」に基づいて構成した環境にかかわり、子どもたちは主体的に活動を展開します。子ども一人一人の姿の予想に基づいて、どのような援助が必要となるかを考えます。このとき、同じ活動であっても子どもの姿は一様ではないことを踏まえ、子ども一人一人の理解に基づき、多様な姿を予想して援助を考えることが大切です。

（2）指導計画の実際

次頁の図表 4−3 の指導計画は、ある幼稚園の園外保育の計画です。園庭で落ち葉や木の実を発見し、興味をもってかかわる子どもの姿から、もっと秋の自然に親しんでほしいという保育者の願いがねらいとなり、自然公園に秋の自然を見つけに行く計画が立てられました。ねらいをもとに、子どもたちが秋の自然に主体的にかかわって遊ぶことを楽しめるような環境構成や援助が考えられており、安全に対する援助や配慮も示されています。

なお、図表 4−3 の指導計画には、指導計画作成に当たり、どのような内容を指導計画に記載するのかを示しましたので、確認しておきましょう。

（3）指導計画作成の留意点

指導計画は、その通りに行わなければならないスケジュールではありません。保育において重要なことは子どもの主体的な活動の取り組みです。子ども理解に基づいて立案された計画であっても、予想とは異なった活動が展開されることもあります。子どもの発想や活動の取り組みを大切にしながら、計画はそのときどきに応じて常に修正されます。指導計画は、子どもの発達を見通して方向性を明確にしつつも、子どもの実際に応じて柔軟に修正していくことが重要です。

【ねらいと内容】には、子どもの姿から、子どもにどのような経験をしてほしいか、どのように育ってほしいかを示し、それを達成するための子どもが経験する内容を具体的に示します。

【子どもの姿】には、日々の園生活の中でとらえたクラスの状況や子どもの発達や興味・関心を整理しまとめます。

持ち物など準備物があれば記載します。

○○年 11 月 10 日（○）わかば組（4 歳児）22 名（男児 10 名、女児 12 名）保育者：○○・△△・□□・◎◎

【子どもの姿】

友達と一緒に自分の好きな遊びを見つけてのびのびと遊ぶ姿が見られる。ブランコやすべり台、木製アスレチックなどの固定遊具を使った遊びや築山に登ったり、園庭をかけまわったりして遊ぶなど、体を動かして遊ぶ楽しさを味わっている。

また、園庭の落ち葉や木の実を見つけ、秋の自然に興味をもち触れて遊ぶ姿がある。砂場では、砂を使った料理づくりも楽しんでおり、見つけた落ち葉や木の実を使って料理の飾りつけにするなど、工夫して遊んでいる。

【ねらいと内容】

○秋の自然に親しむ（自然公園に行く）
・友達や保育者と一緒に、自然の中で体を動かし、のびのびと遊ぶ。
・木の実や落ち葉など秋の自然を見つけ、拾ったり、かかわって遊ぶ。

【持ち物】

救急バッグ、着替え、ティッシュ、タオル、ゴミ袋、カメラ、お茶、紙コップ、ビニール袋

必要に応じて、保育環境がわかるよう環境構成図を示します。

「時間」には、予想される時間配分を示します。

「保育者の援助と留意点」には、子どもの姿から、必要な援助とその留意点を具体的に考え示します。

時間	環境構成	子どもの姿	保育者の援助と留意点
9:50	＜園庭＞ 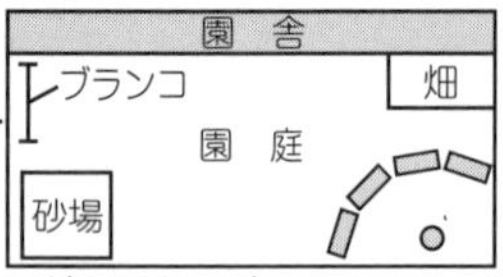 ＊どんぐりの木の下にベンチを扇状に並べる。 ＊園外での約束の絵カード ・2人で手をつないで歩く ・前の人を押したり、抜かしたりしない ・道路の端を歩く ・赤信号は止まる。青になったら車をよく見て先生と一緒にわたる	○朝の集まり ・どんぐりの木の下のベンチに座り「どんぐりころころ」をうたう。 ・友達や保育者とあいさつをする。 ・どんぐりに関心を寄せ、自分が感じたこと、経験したことを言葉にする。 ・保育者の話を聞き、約束の内容を友達と確認する。	・ギターで伴奏をし、子どもたちと声を合わせ楽しい雰囲気でうたう。 ・子どもと目を合わせあいさつする。 ・園庭のどんぐりを拾って見せ、秋の自然を探しに公園に出かけることを伝える。 ・出かけるときの約束を絵カードを使って確認する。
10:00	＜散歩のルート＞ 幼稚園⇒○○商店街⇒○○道路⇒○○小学校左折⇒○○交差点横断⇒○○道路⇒自然公園到着	○自然公園へ出発 ・約束を守って楽しく歩く。 ・商店街の人に親しみあいさつする。 ・さまざまなことに興味を示し、感じたことを友達や保育者に伝える。 ・小学校にきょうだいのいる子どもは、「おにいちゃんがいるんだよ」など友達や保育者に伝える。	・安全に留意し楽しく歩く。 ・商店街の人に会ったらあいさつし、交流を楽しめるようにする。 ・子どもが関心を寄せていることを受け止めながら、会話を楽しんで歩く。
10:20	＜自然公園―林の広場―＞ 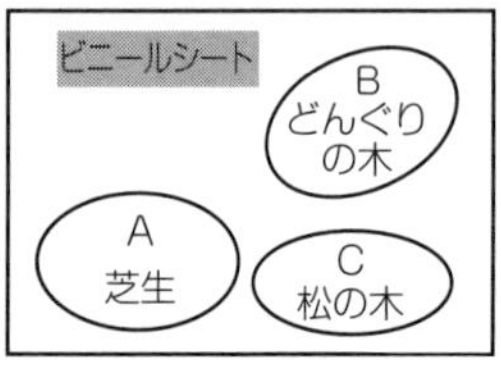 ・林の出入り口付近にビニールシートを敷き拠点とし、子どもの荷物を置く場所をつくる。 ・拠点には保育者を1人配置し、全体を見守るとともに、子どもが林の外に出ないようにする。	○自然公園での遊び ・公園の環境に興味を示し、さまざまなかかわり方で自由に遊ぶ。 ・乾いた落ち葉を踏みしめ音や感触を楽しむ。 ・色づいた落ち葉や木の実、小枝などを拾って遊ぶ。 ・さまざまな形のどんぐり、園にはない木の実（まつぼっくりなど）があることに気づく。 ・鬼ごっこなど、体を動かしてのびのびと遊ぶ。 ○水分補給・排泄 ・園とは違うトイレで排泄することに不安を感じる子どももいる。 ・お茶を飲む。	・安全に留意し子どもたちが自由にのびのびと遊べるようにする。 ・子どもと一緒に秋の自然に親しみながら遊ぶ。 ・拾った秋の自然物をビニール袋に入れてもち帰れるよう、子どもに渡す。 ・子ども一人一人の発見を受け止めるとともに、周囲の友達に伝えて共有し、一緒に楽しめるようにする。 ・木々の中を思い切り走りまわり、子どもと鬼ごっこを楽しむ。 ・手洗い、排泄をするよう声をかける。トイレに付き添い、安心して排泄できるようにする。
11:00	・残り3人の保育者で連携し、林の広場をA（芝生）、B（どんぐりの木）、C（松の木）のエリアで分担して子どもたちの安全を確保する。	・自分が見つけたことを言葉にして、友達や保育者に伝える。 ・落ち葉や木の実をもち帰ることを喜ぶ。	・お茶をくばり水分補給をする。 ・公園で見つけた秋の自然について子どもたちと会話を楽しむ。 ・見つけた落ち葉や木の実などを園にもち帰り、園で遊ぶことを伝える。
11:15		○自然公園を出発	

「環境構成」には、活動を行う際に必要なものやその準備を具体的に示します。また、物的環境だけではなく、空間づくりや安全面への配慮なども示します。

「子どもの姿」には、時系列に沿って予想される子どもの生活、活動をさまざまな角度から具体的に示します。

図表 4-3　ある幼稚園の指導計画の一例 ── 園外保育「自然公園に出かけよう」（4 歳児クラス）

5．保育の実践

保育の現場では、指導計画を作成したらその計画に基づいて実際に保育を実践します。指導計画の作成においては、子ども理解からはじめることが基本であるため、予想される子どもの姿から計画を立てますが、実際の活動が、保育者の予想を超えて展開することもあります。環境も常に一定ではないため、予想しなかったことも起きるかもしれません。そのため、計画通りにならないとしても焦らずに、子どもの主体性を第一に考えながら豊かな発想や行動に対して臨機応変に対応していくことが大切になります。

6．保育の評価と省察

幼稚園では、教育課程を編成し、基本的な保育方針が家庭や地域とともに共有されるように努めるものとされています。このことから、幼稚園として組織的・計画的に教育課程の実施状況の評価や改善を図っていくカリキュラム・マネジメントが重要視されています。また、保育所や認定こども園では、保育にかかわるもっとも大きな計画として全体的な計画が作成され、乳児の保育にかかわるねらいおよび内容、１歳以上３歳未満児の保育に関するねらいおよび内容を共通事項として、その保育の計画および評価の重要性が示されています。

（1）保育における評価の意義

『幼児理解に基づいた評価』（文部科学省）では、評価という語は、優劣を決めたりランクをつけたりする成績表のようなイメージで受け止められることがあるために幼児の発達をゆがめる恐れがあるとして、幼稚園教育に評価は不必要だとする意見も一部あることを踏まえつつも、教育を行うためには評価は欠くことのできないものであり、適切な教育は適切な評価によってはじめて実現できるものとしています[2)]。

また、保育指針「第１章　３保育の計画及び評価」では、保育は子どもと保育士等をはじめとする多様な環境との相互的なかかわり合いによって展開されていくことを踏まえ、子どももまた保育をつくり出していく存在であることを認識することが重要であるとし、保育における育ちについてていねいに評価を行い、その結果に基づいて、保育の環境の構成を継続的に構想し直す必要性を明記しています。続けて、（4）保育内容等の評価には、保育士等の自己評価、保育所の自己評価について明記されており、保育士等の自己評価を通じた保育の質の向上については、保育士は、保育の記録を通して計画とそれに基づく実践を振り返り自己評価を行うとし、自己評価における子どもの育ちをとらえる視点の留意点として、発達の個人差や内面の育ち、結果ありきではなくどのように興味や関心をもち活動に取り組んだかなどその過程を保育者が理解し、大切にすることを示しています。そして、保育士等の学び合いとしての自己評価では、保育士間の相互理解やチームワークを高めていく姿勢が保育職に携わる者としての専門性を高めていくことにつながることの重要性も示されています。

このように、保育実践後には、保育の質の向上に資する保育者自身や園全体における客観的な評価が伴うことがわかります。

（2）保育における省察とは

保育実践の振り返りについて、倉橋惣三は、著書『育ての心』において、「子どもが帰った後で、色々なことが思いかえされる時の反省を重ねている人だけが、真の保育者になれる」と述べ、「翌日は一歩進んだ保育者として再び子どもの方へ入り込んでいける」ことを記しています[3)]。また、津守眞は、著書『保育者の地平』において、「保育者は、子どもとかかわり身体を動かしている最中にも、子どもの行動を読み、それに応答している」「子どもは身体的行為によって人生を探求している哲学者である」と述べ、保育の実践と省察とは切り離すことができないこと、保育の省察の修練を積むうちに子ども理解が深まることを記しています[4)]。

このように、保育における省察とは、保育者が自らの保育実践と子どもの育ちを振り返ることであり、反省点や改善点を見出しながら明日の保育に向けて改善を図っていく行為につながります。

7．保育の改善

（1）保育の評価に基づく改善

教育課程や全体的な計画は、園全体の計画であることから、子どもの大まかな育ちの道筋は定まっているといえます。しかし、子どもの実態を把握して編成をした計画であっても、それに基づいて保育を実践していく中では、実際の子どもたちの姿とズレが生じてくることもあります。

このようなことから、保育を実施した結果を評価し、その反省点や問題点から子どもたちの実態に即した適切な計画に改めることが大切になります。このように、評価から改善に向けたサイクルとは、計画の編成を経て保育を実施し、そこでの問題点の検討を行った上で改善案の作成につなげていき、次の計画を立案する際にその結果を反映させてよりよい保育に向かっていくということになります。

（2）保育の改善の実際

保育とは、計画した内容を実施し、実施したことを振り返り評価した上で、保育の内容や方法、そして、環境構成を通した援助などを改善し、また計画を立て直して保育を実践していくことの繰り返しです。この、計画（Plan）、実践（Do）、評価（Check）、改善（Action）という繰り返しが保育の循環作用であり、PDCA サイクルの考え方に当てはめることができます。

保育の改善の実際に関する手順についてですが、はじめに、それまでの子どもの育ちや実態について保育者自身の理解が適切であったかどうかを省察します。次に、子どもたちの実際の姿と合わせながら、指導計画におけるねらいが達成できるような経験と環境構成になっていたかどうか、子どもたちの発達につながるような具体的な援助になっていたかということをとらえていきます。次の計画を立てるときには、こうした反省点を生かして改善を図っていきます。このように、保育実践後に反省および評価を行い、次の指導計画の作成に反映させるところに至る流れから、日々の計画の立案と実践は、教育課程や全体的な計画のような大きな循環サイクルの中に位置する小さな循環サイクルとして組み込まれる関係であることがわかります。

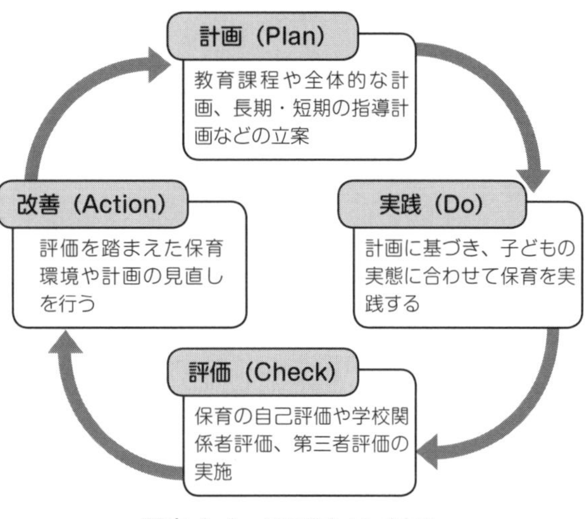

図表 4-4　PDCA サイクル

Column　カリキュラム・マネジメントの実際

カリキュラム・マネジメントとは、各園の教育課程や全体的な計画に基づき、全職員の協力体制のもと、計画的に教育活動の質の向上を図ることです。これについて、園における保育実践を評価するカリキュラム評価表を作成し、そのカリキュラム・マネジメントへの有効性を検討した幼稚園の実践例から考えてみます。

基本的には、園における行事・活動が「幼児期の終わりまでに育ってほしい姿」（本書 p.148 ～ 149 参照）のどの姿につながる活動となるのかについて、それらをクロスした表をチェックしながら評価します。その際、評価の視点を領域「環境」に当ててみると、経験する活動には、指導計画に基づいた活動や行事が項目化されており、たとえば5歳児であれば、「社会生活との関わり」（散歩・園外保育・母の日や父の日の行事・遠足・お泊まり会・夏祭り）、「思考力の芽生え」（用品の使い方の確認・当番のグループ決め・園外保育・リレー）、「自然との関わり・生命尊重」（田植え・じゃがいも植え・朝顔植え・七夕飾り製作・どろんこ遊び・プール・水遊び・プラネタリウム・観察画）、「数量・図形、文字等への関心・感覚」（製作・遠足のしおりづくり・短縄・絵本貸し出し）が項目として連なっています。カリキュラム評価表の検討から、子どもの育ちに対する園活動の役割を質的・量的に可視化することができ、「幼児期の終わりまでに育ってほしい姿」と行事・活動の関連について、保育者一人一人の保育実践を通した記録からカンファレンスを進められます。このように、カリキュラム・マネジメントには、教育課程や全体的な計画をより適切なものに改善していく重要な役割があることがわかります。

参考）大関嘉成・井上智・中村里美・加藤かおり・佐々木美紗子・角屋友加里「幼稚園におけるカリキュラム・マネジメントのためのカリキュラム評価表作成の試み」羽陽学園短期大学紀要第 11 巻第 1 号（通巻 39 号）、2019

Active Learning！

1 身のまわりの環境について考えてみよう！

① 自分を取り巻く環境を書（描）いてみよう。

Step1：白い画用紙を用意して、自分を真ん中に書（描）く。

Step2：自分のまわりにどのような環境があるか、自然環境、人的環境、物的環境、情報環境、文化的環境の視点から、具体的な環境を文字や絵で書（描）く。

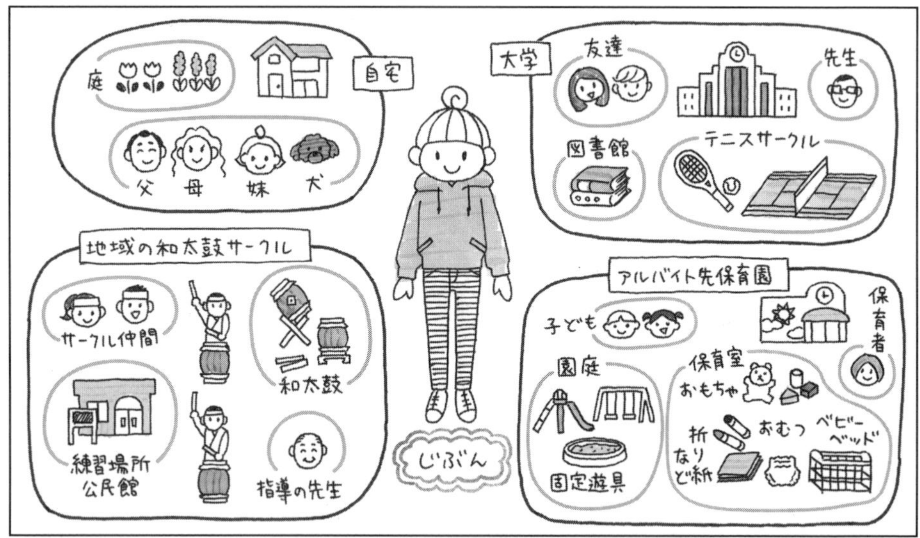

Hint！ 自分にとって重要な環境は大きく書（描）いたり、中心に書（描）いたりしてもわかりやすい。また、関連する環境を線で結ぶなどの工夫もしてみよう。

② 書（描）いた「身のまわりの環境」から、感じたり考えたことをまとめよう。

Hint！ 自分の身のまわりにはどのような環境があり、それらがどのような意味をもっているのか考えてみよう。

2 1歳以上3歳未満児と3歳以上児の領域「環境」のねらいと内容を比べてみよう！

① 1歳以上3歳未満児と3歳以上児の領域「環境」のねらいと内容を確認しよう。

Hint！ 保育指針「第２章　保育の内容」に示されている領域「環境」のねらいと内容をよく読んでみよう。

② 1歳以上3歳未満児と3歳以上児の領域「環境」のねらいと内容について、それぞれの記述内容を一つ一つていねいに比較してみよう。

Hint！ 共通性と違いについて、それぞれ箇条書きにして書き出してみよう。

③ ②で気づいた共通性と違いについて、グループの仲間と意見交換をしよう。

Hint！ 自由な意見交換を通して、他者の気づきから学びを深めよう。

Part 2

保育の展開と指導法を学ぼう

第1章 ものとのかかわりの実践について学ぼう

1．子どもとものとのかかわり

子どもは日々の生活の中で実に多くのさまざまなものに囲まれて生活しています。そして、ものとかかわりながらものの特徴や性質を知ったり、生活や遊びの中に取り入れて工夫したり、生活に必要な動作を身につけ、知識を広げていきます。

保育の場には、安全性に配慮した子どもの発達や興味・関心の方向性に沿ったものを用意することが求められます。子どもが自発的にものとのかかわりを楽しみ、試行錯誤したり創意工夫することができる環境を計画的に用意することが重要です。この章では、園生活の中で乳幼児の身近にあるものと子どものかかわりについて学んでいきましょう。

2．保育の場にあるもの

保育の場には、保育室を中心とする園内に、玄関、遊戯室・ホール、トイレ、職員室、給食室、医務室、ランチルーム、図書室、倉庫、テラス、園庭などがあり、それぞれの園の状況に合わせてさまざまなものが用意されています。

たとえば、①下駄箱や個別のロッカー、本棚やつい立て、テーブルや椅子など、保育室を構成するもの、②すべり台や鉄棒、アスレチックの要素がある複合遊具、マットや巧技台、三輪車など体を動かして遊ぶ遊具類、③既成品または手づくりのおもちゃや絵本・紙芝居、④ペープサートやパネルシアター、エプロンシアター®ほか多彩な保育教材、⑤折り紙や粘土ほか多様な素材、⑥空き箱などの廃材、⑦ハサミやクレヨンなどの道具類、⑧ピアノやキーボードなどの楽器類、⑨樹木や草花、木の実などの植物、⑩砂、土、泥、石、水、貝殻などの自然物、⑪小鳥やうさぎなどの小動物や金魚や昆虫などの生物、⑫コップ、衣類、寝具、防災頭巾など生活に必要なもの、⑬連絡帳など保護者との連絡等に使うもの、⑭出席簿、カメラなど保育者や職員が使うもの、⑮掃除道具などの環境整備に必要なもの、⑯衛生・保健用品など、実に多種多様なものがあります。

園内にあるものは子どもたちが目にするもの、触れるものであることを認識して、保育者はそれぞれのものを用意し、整理整頓・点検整備をしながら管理することが必要です。

3．乳児（0歳児）とものとのかかわり

人は誕生後すぐに、さまざまなものに囲まれて生活するようになりますが、はじめは自分でものを扱うのではなく、大人を介してものとかかわります。次第に自分から興味をもったものに手を伸ばすなど、ものとのかかわりが自発的なものになっていきます。

生後5か月のBちゃん。目の前にあるくまの起き上がりこぼしを見つけ、手を伸ばしますが届きません。保育者がBちゃんの近くにそっと置くと手が届き、心地よい音がしました。Bちゃんは倒れそうで倒れない起き上がりこぼしに何度も手を伸ばし、動きと音を楽しんでいるようでした。ときどき保育者のほうを見るので、「楽しいね」というと、安心したようにしばらくこのおもちゃで遊びました。

このように子どもはものを見たり触れたりしながら、音や動き、感触を味わい、保育者との安定した関係性に支えられて、安心してものとのかかわりを楽しむことができます。

4．1歳以上3歳未満児とものとのかかわり

1歳を過ぎると歩行の開始とともに行動範囲が広がり、さらに多くのものを見たり聞いたり触れたりしながら探索活動を楽しむようになります。一つのものをじっと見つめたり、音に耳を澄ませたり、興味をもったものにじっくり向き合う姿が見られます。

入園したCくんは、保育室にいろいろなものがあるのがうれしいようで、棚の中の絵本やおもちゃを全部出して楽しそうな様子です。Nちゃんはクレヨンで描く楽しさを覚えたようで、積み木や絵本やコップなどにも次々クレヨンで描けるかどうか確かめているようです。このように旺盛な好奇心から、困った行動やいたずらと思えるようなことをすることがあります。してほしくないことを子どもに理解できるように伝えることも必要ですが、子どもは保育者が楽しさを理解してくれることで、さらに自信をもって遊びを発展させたり、異なるものに興味を広げ、次への意欲をもつことができます。保育者には子どもの楽しさを受け止めて、一緒に驚いたり喜んだりする共感的な態度でかかわることが求められます。また、子どもの他者に伝えたい思いを読み取り、必要に応じて言葉にすることも心がけましょう。

この時期の子どもは危険を察知したり、安全に行動しようとする意識が育っていないので、ものとのかかわりにおいて怪我や危険がないように十分に気を配ることも重要です。

5．3歳以上児とさまざまなものとのかかわり

（1）おもちゃ・遊具

園内には、積み木、ブロック、ままごと道具、人形、汽車と線路などさまざまなおもちゃや、すべり台、巧技台、大型積み木、三輪車などの遊具があります。これらは子ども

にとって大変魅力的なもので、子どもはおもちゃや遊具で遊びながら、楽しさやおもしろさを感じて繰り返し遊びます。「かして」「いいよ」など、友達とやりとりをしたり、イメージを共有するなどして、人との関係性を深めることもあります。遊びながら、使い方や約束ごとがあることを理解し、年下の子どもに伝える姿も見られるようになります。

おもちゃや遊具には一年中楽しめるものと、発達や時期、季節などを考慮して用意するものがあります。保育者と一緒に遊ぶもの、一人でじっくり遊ぶもの、友達とかかわって遊ぶものを考慮して選択することも必要です。保育者には、多様なおもちゃ・遊具の種類や遊びの楽しさを理解し、その時期にふさわしいものを用意することが求められます。

（2）道具とのかかわり

手先の発達に伴い、これまで扱ったことがなかった道具、たとえば、はさみ、ステープラー、テープカッター、ダンボールカッター、かなづちなどとかかわる機会をつくります。

保育者は、子どもと道具のはじめての出会いの際には、安全な使い方を知らせ、子どもにわかりやすい表示をしたり、道具の管理をします。経験を重ね、子どもが自分から怪我をしないように気をつけて扱えるようになれば、子どもの様子を見て、使いたいときに使えるように道具の配置を変えます。子どもは道具を扱い、その使い方に慣れ、工夫して使ったり道具の特徴を身をもって学んでいきます。そして、新たなものをつくり出す楽しさを経験していきます。保育者は安全に配慮して子どもの活動を見守りながら、必要な道具を用意し、安全でわかりやすく使いやすい配置の仕方を工夫します。子どもと一緒に片づける場所をつくったり、ルールを考えてもよいでしょう。

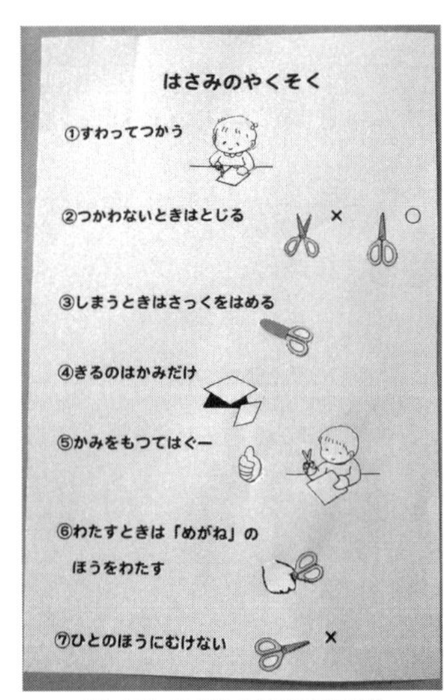

はさみの扱い方の掲示例

（3）素材とのかかわり

保育の場には、折り紙、画用紙、新聞紙などの紙類、布やフェルト、毛糸、ペットボトルや紙パック、空き箱、木の実や貝殻ほか、多種多様な素材が用意されています。

ある園の５歳児クラスでは遊びの中で船の舵をつくることになりました。ダンボールで形をつくり、ガムテープで補強した上に絵の具で色を塗ります。しかし、絵の具ははじかれて色がつきません。困った子どもたちが保育者に助けを求めます。保育者はまず子どもたちと一緒に困り一緒に考え、ハケとペンキを渡し、色塗りをすることができました。

子どもは素材とのかかわりの中で、素材の特徴や扱い方を体験し理解し、その後の遊びや生活に生かしていきます。家庭にも協力を求めて、多様な素材を用意し、子どもの遊びの幅が広がるようにすることも大切です。

（4）ものを大切する気持ち

子どもは遊びや生活の中でものとかかわり、自分にとって大切なものを見つけます。

Ｆちゃんにはお気に入りの人形があり、それを他者がさわったり、黙ってもっていこうとすると、とられまいとして必死に守る姿が見られます。Ｉくんは空き箱でつくったロボットをとてもていねいに扱っていて、壊れそうになると何度でもていねいに修復します。

こうした子どものものに対する気持ちを保育者が理解して、ともに大切にしようとすることが、子どものものに対する愛着を育むことにつながります。そして次第に、友達が大切にしているものへの気づきになり、クラスみんなのものを大切にしようとする気持ち、さらには公共のものを大切にしようとする気持ちの育ちにつながります。

保育実践の Point !

● **見る・聞く・触れるなど、自分からものとかかわることを楽しめる安全なものを用意する**

低年齢児には、心地よい音や感触、過剰な刺激のない色、わかりやすい形、扱いやすい形状や重さ、視力や視線に合った動きなど、子どもの発達や興味を考慮した安全で安心できるものを用意しましょう。誤飲の心配のない大きさ、なめても安全な素材、角がとがっていないもの、首に巻きつく長さではないもの、指が挟まりにくい形状などに十分注意し、拭く・洗う・消毒するなどの衛生管理や点検整備をすることも重要です。

● **多様な素材や道具と子どもの出会いを保障する**

発達とそれまでの経験を考慮して、子どもがさまざまなものの特性に気づけるように多様な素材と道具を用意し、豊かな経験ができるように工夫しましょう。その際、使い方や安全性については、子どもが理解できるように知らせる工夫をすることが大切です。

● **子どもが自分でものを選べる使いやすく片づけやすい環境を整える**

子どもが自分でものを選んで活動できるように、わかりやすく取り出しやすいようにものを配置しましょう。たとえば、ものがぴったり収まるような箱などを用意する、飾るなど、楽しく片づけられる工夫もできるとよいでしょう。

● **子どもとものとのかかわりを支える**

子どもが試したり、考えたり、つくったりしながら試行錯誤する姿を見守り、助けを求められたときには適切な援助ができるようにしましょう。また、気づいたことや発見したこと、喜びなどに共感し、ものとのかかわりが深まるようにします。子どもがものを大切にする気持ちを支え、ものとかかわることによって友達とのかかわりが楽しくなるように工夫し、新たな考えが生まれた際には大いに認めていきましょう。

実　践　1　身近なものの用意と保育者のかかわり

子どもは保育の場にある多種多様なものを見たり触れたり試したりしながら、発見を楽しんだり工夫するなどして、ものに親しみ、その特徴や仕組みを理解していきます。各園の実践から、どのようなものがあるのか、保育者の工夫やかかわりを見てみましょう。

指導法例1－①　自らかかわろうとする“もの”の用意と設置（0・1歳児クラス）

この園の0・1歳児クラスには発達の異なる子どもたちが、それぞれの生活リズムに合わせて生活している。食事・睡眠などのスペースと、遊びのスペースを分け、落ち着いた空間の中に必要なものが配置されている。天井からつり下げられた見て楽しむもの、低い棚には木・布・プラスチックなどさまざまな感触が楽しめるおもちゃが種類ごとに整理されて並べられている。壁面には立った姿勢で遊べるもの、ウォールポケットに入ったぬいぐるみなどもある。ほかにも体を動かして遊べる押し箱やジャンボクッション、ろくぼくなどが用意され、発達の状態や生活や遊びの状況によって、保育者が出し入れしたり、入れ替える工夫をしている。

生活と遊びのスペース

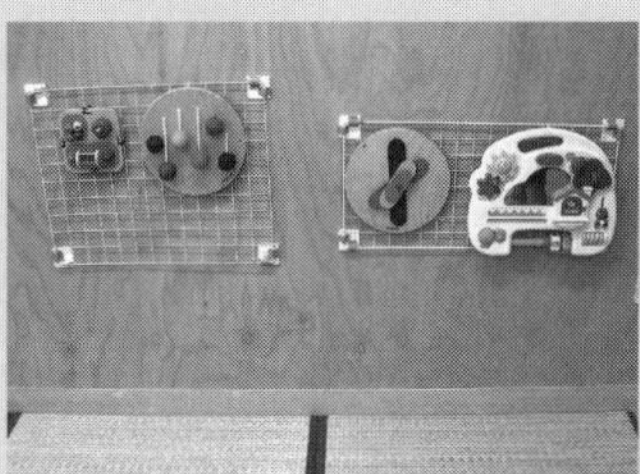

低い壁面に設置した手指を使って遊ぶおもちゃ

低い棚にわかりやすく分けられたおもちゃ

Point　子どもの発達や興味に合わせて楽しく安全なものを選ぶこと、また、目の高さや手を伸ばして届く距離を考慮し、子どもが自分でものを見つけて自分で選んで、さまざまな遊びや探索活動ができるようにすることが大切です。口にすることが多いので、誤飲の心配のない大きさに留意し、拭く・洗うなどして衛生管理をしたり、破損がないかなど、ていねいに点検しましょう。

指導法例1－②　多様な遊びができるものの用意と他クラスとの連携（2歳児クラス）

2歳児の保育室では、パズル、線路と汽車、ブロック、ままごと道具と人形などが用意され、子どもが自分で遊びたいものを選んで好きな遊びを楽しんでいる。ままごとコーナーではT男くんがフライパンの中に野菜を入れて料理をつくって遊んでいる。K奈ちゃんはバッグの中に食べ物をたくさん入れて買い物をしている様子だ。T男くんが保育者に「トマトがないよ」といいにきた。ほとんどの食べ物はK奈ちゃんがもっているようだ。保育者が「今、トマトは売り切れですね」というとT男くんは「やだ。トマトないとできない」と不機嫌になった。保育者が「そうだ、先生と一緒にトマトを買いに行こう」とT男くんと手をつないで5歳児の保育室に行った。

5歳児のY美ちゃんにお手玉を指さして「赤いトマトください」というと、Y美ちゃんは「はいどうぞ」と赤いお手玉をT男くんに貸してくれた。近くにいたU斗くんが「これもあるよ」と自分がつくった果物もくれた。T男くんは大事そうに抱えて保育室に戻った。

Point 保育室には発達や興味・関心を考慮したおもちゃが用意され、好きな遊びを選んで遊べる環境が用意されています。しかし、子どもの思いが十分に満たされないこともあります。この事例では自分の思いが実現できずにほしいものを主張する子どもの気持ちに保育者が寄り添い、機転を利かせて、ほかのクラスにあるものを借りにいくことで、子どもの気持ちが満たされました。さらに、5歳児に貸してもらったことがうれしくて、借りたものを大切にしようとする気持ちも芽生えたようです。

指導法例1－③　可動遊具を使った遊びの活用

園庭にはたくさんのビールケースやタイヤ、お風呂マットや洗面器などが置かれている。子どもたちは好きなように動かして並べて遊ぶ。5歳児の子どもたちは8月にはビールケースを重ねて高くして園庭の木に止まっているセミとりに利用する。保育者は危険がないように見守っているが、この遊びには「重ねるときはきちんと重ねる」という約束がある。子どもたちはずれていないかしっかり確認してから上に乗る。この日は5歳児のC太くんとM男くんとS美ちゃんがビールケースを運んで家をつくりはじめた。「もっとこっちにも並べて」「ここは高くする」と声をかけ合いながら、大きな家をつくった。そこへ3歳児のF香ちゃんがやってきて、ビールケースを重ねようとするが、なかなかきちんと重ならない。その様子にC太くんが気づき「手伝おうか」といってビールケースをしっかり重ねる。それを見て安心したようにF香ちゃんは砂の入ったバケツを置いてままごと遊びをはじめた。

Point 子どもたちはものとかかわりながらその特性を理解して遊びの中で活用していきます。この事例ではものを使うときにはルールがあること、安全への配慮やそのための使い方があることを理解し身につけている様子や、年下の子どもとのかかわりに生かす姿も見られます。保育者は子どもとものかかわりを見守りながら支えています。

実践２　さまざまな素材でイメージを広げる遊びの展開

子どもは保育の場で多様な素材に出会い、色や形、重さ、手ざわりや質感などを感じ、自分の手で変化させたり道具を使ったりしながら、次第にイメージを形にするなどして、素材の性質を把握していきます。たとえば、光沢のあるツルツルした紙にはマーカーや絵の具では絵が描けないことや、のりで接着しにくいことに気づきます。

ここでは、子どもたちがさまざまな素材を取り入れて遊びを楽しいものにしていく実践について見ていきましょう。

指導法例２−①　子どもの創意工夫を大切にしたレストランごっこ（５歳児クラス）

●「アイスはいかがですか？」

８月の暑い日、５歳児クラスのＴ代ちゃんが家族と食べたアイスクリームを思い出して、製作コーナーの色画用紙と新聞紙、ティッシュとお花紙を使ってアイスクリームをつくった。それを見て、ほかの子どもたちも次々まねしてつくり出し、あっという間にたくさんのアイスクリームができた。「先生にあげよう」「園長先生にもあげよう」「でも溶けちゃうよ」「アイスを立てるものがあればいいんじゃない」とＭ美ちゃんが提案して、空き箱を使ってアイススタンドもつくった。それでもまだたくさんあるアイスクリーム。５歳児クラスの前を通る４歳児や３歳児に「アイスはいかがですか」といって配ることにした。うれしそうにもらう年下の子どもたちに満足そうな子どもたちだった。

●レストランごっこ「ハッピーレストラン」

保育室に椅子を並べて、お料理ごっこを楽しんでいた５歳児クラスのＨ奈ちゃんとＴ代ちゃんとＲ香ちゃん。ままごと道具で料理をつくって食べたり、「いらっしゃいませ」「カレーをどうぞ」とお客さんに出しているうちに料理づくりに熱が入る。ごちそうを食べにやってきたＹ夫くん、Ｔ太くん、Ｍ介くんも加わり、さらに遊びが盛り上がった。日に日に参加する子どもが増え、「おいしいお料理をたくさんのお客さんに食べてもらいたいね」とイメージがふくらみ、レストランづくりがはじまった。

レストランってどんなところ？

「きれいな飾りがたくさんあって、テーブルの上にはお花があって、おいしいお料理が出てくるところ」「お鍋やフライパンでいろんなお料理をつくるところがある」とみんなでイメージを出し合った。

キッチンをつくろう！

「お料理をつくるところが必要だね」ということでキッチンづくりがはじまった。

①ガス台
「火が出るようにしたい」という子どもたち。「どうしたら火が出るかな」と話し合って工夫しながらつくった。

②水道
「お皿を洗うところもあるよね」と、流し台をつくることになった。水道の蛇口を回すにはどうしたらよいか考えながらつくった。

③調理道具
「お料理するにはお鍋、包丁、フライ返しが必要だね」とお料理をするところを考えて次々必要な調理道具が浮かんできた。

おいしいお料理づくり

いよいよレストランの料理づくり。
まずは、お寿司、ピザ、焼きそば、カレーライス、オムライス、焼き肉、アイス、プリン、ジュースなどのメニューを考えた。

メニューを考えよう！

「何をつくる？」みんなで相談して何をつくるか子どもたちで役割分担も決めた。早くできたらほかの料理づくりを楽しむ姿も見られた。

●お寿司
のり巻き、マグロ・玉子・海老の握り、鉄火巻、納豆の軍艦巻き、わさびも入っている。素材や色を考えてつくった。

●ピザ
トマト、ピーマン、ベーコン、とろーりチーズ。ピザを焼くピザ窯もつくった。

●カレーライス
白いご飯は綿、カレールウは折り紙でつくった。にんじん、じゃがいも、肉などの具材づくりも工夫した。

●オムライス
「オムライスはどんな形かな？」と考えながら黄色いふわふわのオムライスをつくった。赤いケチャップをかけて完成。

●焼き肉
「お肉もあるんだ」という子どもたち。そのイメージは焼き肉だった。「焼く前は赤くて焼いたら茶色くなる」と色の工夫をした。

●焼きそば
「麺はもっと太いよね」と麺の太さにこだわって素材選びをした。キャベツやにんじん、豚肉が入った焼きそばの完成。具材にも工夫が見られる。

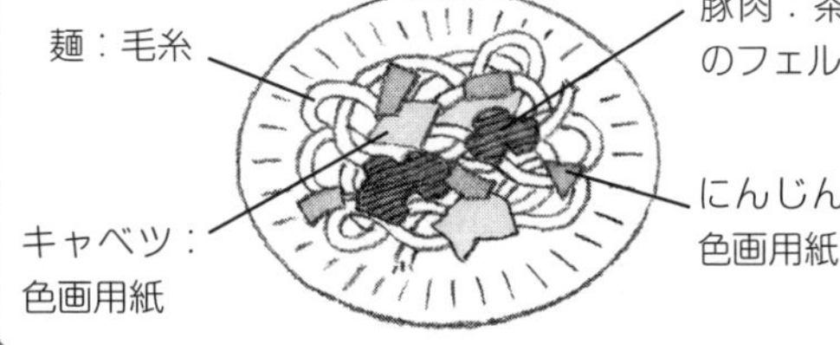

●カレーうどん
メニューにはなかったカレーうどん。ほかのものをつくりながら「うどんもつくろう」と白い毛糸のうどん、色画用紙でカレーの味つけをして、玉子入りの月見カレーうどんができた。

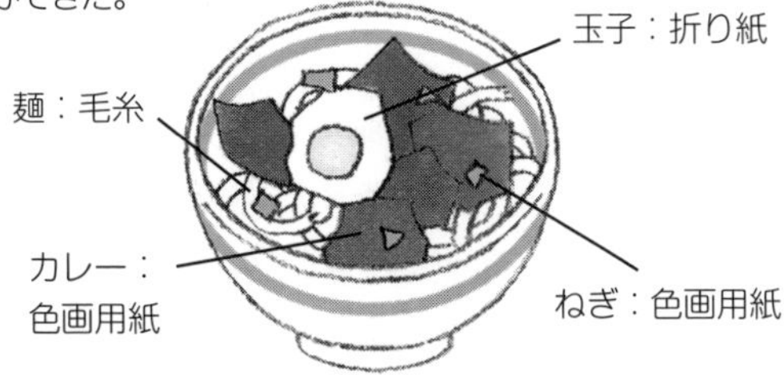

●アイス
前につくったことがあるアイスクリームは得意中の得意。今回は色とりどりのカップのアイスもつくった。ビーズのチョコチップをつけてバージョンアップ。

●ジュース
ジュースの中には氷が入っていることに気づき、氷入りの冷たいジュースの完成。

●プリン
「下に茶色い甘いのが入ってるよね」とカラメルソース入りプリンができた。

サクランボ：折り紙とモール
クリーム：綿
プリン：クリーム色のお花紙
カラメル：茶色のお花紙

レストランの名前は？

子どもたちの、来てくれたお客さんにおいしいお料理を食べてハッピーになってほしい、という思いから「ハッピーレストラン」になった。

開店準備

ほかに足りないものはあるか考えて、メニューと看板、レジとお金をつくった。最後に保育室のテーブルと椅子を並べ、テーブルクロスをかけて、園庭でつんできたお花を飾った。

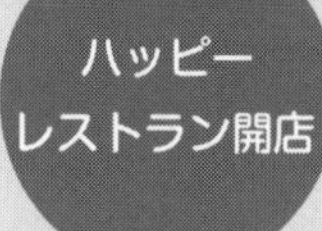
ハッピー
レストラン開店

お料理をする人、席に案内する人、お料理を運ぶ人、お客さんになる人、順番に役を交代して遊ぶ。とてもステキにできたので、ほかのクラスの子どもたちや保育者、園長先生にもお客さんになって来てもらった。

<用意した素材・道具>
色画用紙、折り紙、お花紙、セロファン紙、上質紙、厚紙、ダンボール、カラー片面ダンボール、新聞紙、ティッシュペーパー、コーヒーフィルター、布、フェルト、毛糸、綿ロープ、モール、綿、ボタン、ビーズ、スパンコール、紙皿、透明コップ、透明カップ、廃材（空き箱、紙パック（牛乳パックほか）、卵のパック、食品トレーほか）、クレヨン、マーカー、油性ペン、鉛筆、絵の具、のり、ボンド、セロハンテープ、クラフトテープ、両面テープ、はさみ、ダンボールカッター、ステープラーなど

Point　子どもたちはこれまでにかかわってきたさまざまなもの、はじめて出会う素材や道具などを試行錯誤しながら扱い、友達と一緒に工夫して形にすることを楽しんでいます。ものとのかかわりを通してものの特徴を知り、使い方を身につけ、発想を豊かにしていきます。保育者は多様なものを用意し、子どもからの要求や問いかけにていねいに応えていきます。必要に応じて問いかけやアドバイスをしながら発見や創意工夫を認め、子どもとものとのかかわりを支えていくことが重要です。保育者は、子どもたちが自発的に人を喜ばせたい、他者のために美味しそうにつくりたい、という思いでつくったことを十分に認めたいものです。

指導法例２－②　物語のイメージを形にする活動（５歳児クラス）

● 物語「エルマーのぼうけん」

低年齢児から絵本や素話などの物語に親しんできた子どもたちが、園庭や公園で友達と「探検ごっこ」を楽しむ姿が見られた。そこで、保育者は『エルマーのぼうけん』（ルース・スタイルス・ガネット作／渡辺茂男訳／ルース・クリスマン・ガネット絵、福音館書店、1963）の物語を数日間に分けて子どもたちに語ることにした。子どもたちは物語の進行を毎日楽しみにして、「りゅうをさがしにいく」遊びや動物と交渉する場面などが遊びの中で見られるようになった。そこで、保育者は「ぼうけんちず」や「りゅっくさっくのなかのもの」、登場人物がわかる掲示物をつくり、保育室の子どもの目の高さの壁に貼っておいた。

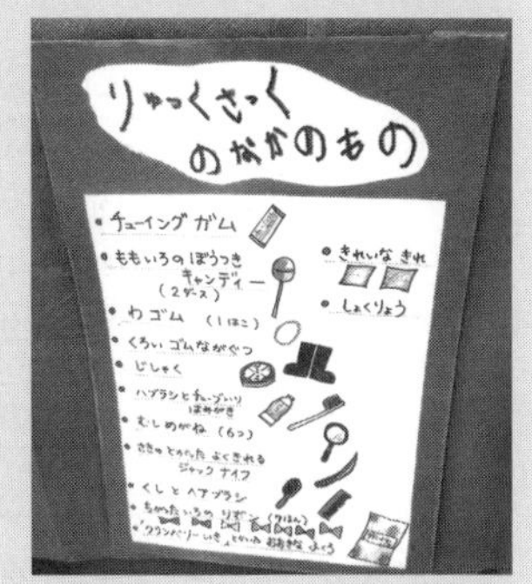

夏のお泊まり会では、保育者たちが工夫して「エルマーのぼうけんごっこ」が楽しめるような冒険遊びを設定すると、子どもたちの中にさらに物語が浸透していった。

● 紙粘土で「エルマーのぼうけん」を表現する

この園では毎年、子どもの作品や日常生活を自然な形で紹介する行事を行っている。５歳児は紙粘土の作品をつくり、保護者やほかの年齢の子どもたちに見せる機会がある。１年前に５歳児の作品を見ている子どもたちから「エルマーをつくりたい」という声が上がり、それぞれのグループでどの場面をつくるか話し合って決めた。紙粘土や絵の具、接着剤を使って、７匹のトラ、ゴリラ、ワニなどの登場人物をつくる。できた動物を並べながら「川がないよ」「チューインガムもつくらなきゃ」と必要なものを次々つくっている。保育者は木の葉、小枝、木の実、綿、布、フェルト、紐、など、子どもたちがそれまでに扱ったことがある素材をさりげなく用意したり、子どもと一緒に探したりする。保育者は子どもから「くっつかないよ。どうしたらいい？」などと相談されたときには「どうしたらいいかな？」と一緒に考えるようにしている。子どもたちは仲間と一緒に考え、工夫しながら物語の世界を表現していった。

Point　子どもとものとのかかわりはそのときだけでなく、多様な経験に基づいて、工夫や試行錯誤が繰り返されていきます。事例では、子どもの遊びの姿をとらえて選んだ物語が出発点となり、保育者のさりげない援助や環境設定に支えられて作品づくりにつながりました。子どもとものとのかかわりを長期的な視点でとらえ、子どもが多様なものに触れられるように準備し、子どもと一緒にものに向き合う保育者の姿勢が求められます。

Active Learning！

1 保育の場にあるもの、保育に必要なものを考えてみよう！

① 園生活の中で子どもの生活に必要なものを具体的に書き出してみよう。

Hint！ 以下の①～⑦の視点で、例にならって書いてみよう。

生活場面	必要なもの	
①食事	スプーン	
②排泄	おむつ	
③睡眠	布団	
④衣類の着脱	シャツ	
⑤清潔	せっけん	
⑥安全	防災頭巾	
⑦その他	通園バッグ	

② 子どもの発達の姿を考えながら、遊びに必要なものを具体的に書き出してみよう。

Hint！ **Step1**：子どもの年齢を設定する。＿＿＿＿＿歳
Step2：以下の表を参考にして考える（項目は変更してもよい）。

場所	遊びの内容	遊びに必要なもの
室内	見る・聞く・感触を楽しむもの	
	手指を使って遊ぶもの	
	体を動かして遊ぶもの	
	その他	
屋外	見たり触れたりするもの	
	体を動かして遊ぶもの	
	その他	

③ ①②であげたものの中から、子どもにかかわってほしいと思うものを１つあげ、具体的にその特徴、遊び方・使い方、どのようなものを選んだらよいかなどを調べ、発表して、内容を仲間と共有しよう。

Hint！ **Step1**：ものの①名称、②特徴、③子どもの年齢・発達、④使い方・遊び方、⑤保育者の配慮の５項目について具体的にまとめる。

例

①名称	積み木
②特徴	木製のものが多い。角があるものと丸いのがある。無塗装のものと色があるものがある。小さい積み木と大型積み木がある。発達によって異なる遊び方ができる。
③子どもの年齢・発達	１歳から５歳
④使い方・遊び方	やり取りをする。打ち合わせる。並べる。積む。見立てる。何かをつくる。
⑤保育者の配慮	子どもの遊び方や人数に合わせて必要な数を用意する。幼児クラスでは数日間は片づけなくてよいコーナーをつくり、遊びの続きができるようにする。

Step2：レジュメを作成し、調べたことを発表する。

2 保育の場にあるものの配置、設置の仕方の工夫について考えてみよう！

① 子どもが自分からものにかかわったり、片づけたりできるような、わかりやすく使いやすいものの配置の仕方を考え、イラストや写真、文章で示し、発表しよう。

Hint!

例①：登園時の持ち物（家庭から持参するもの）

例②：ブロック、積み木、パズル、ままごと道具、人形、砂場玩具などのおもちゃ

例③：ハサミ、のり、クレヨン、マーカーなど製作時に使用する道具

例④：折り紙、色画用紙、布類、毛糸、廃材など製作などに使用する素材

② ①について仲間に発表し、それぞれのよりよい配置、設置の工夫について話し合ってみよう。

3 子どもが扱う素材・廃材について調べ、手づくりおもちゃをつくってみよう！

① 子どもが扱う素材・廃材にはどのようなものがあるか考えてみよう。

Hint! 園で購入・用意するもの、子どもと収集するもの、家庭に協力を求めて収集するものなどの視点から考えてみよう。

② 素材研究として、紙パック（牛乳パックなど）の内側の白い面に絵を描く・色を塗るときには、どのようなものがよいか、実際に描いて試してみよう。

Hint! クレヨン、マーカー（水性顔料）、油性マジック、絵の具、ポスターカラーなどで描いてみよう。

③ 紙パック（牛乳パックなど）または紙コップを使って子どもがつくる「手づくりおもちゃ」を考え、つくってみよう。

Hint!

Step1：対象年齢を考え、何をつくるか決める。

Step2：必要な材料・道具を考え、用意する。

Step3：子どもがつくることを想定して、実際につくってみる。

Step4：子どもに説明するように他者に説明する。

Step5：他者の説明を聞き作品をつくってみる。

Step6：製作過程の楽しさとむずかしさを確認する。

Hint!

例①：紙コップのパクパク人形

例②：紙コップけん玉

例③：紙パックの円盤　ほか

第2章 自然とのかかわりの実践について学ぼう

1．子どもと自然とのかかわり

（1）日本の風土と自然とのかかわり

四季がはっきりしており、動植物の種類が非常に多様で豊かな日本は、その風土から稲作や農業を中心とする生活を送ってきました。たとえば、「よもぎ団子づくり」は、野草のパワーが野良仕事に力を貸してくれるといわれることから、4月8日の花祭りでつくってきたという歴史があります（本書 p.67「指導法例3−②」参照）。このように季節や農作業と連動した日々の暮らしや行事の中で、子どもたちの遊びにも自然物を素材とした数多くの伝承遊びが伝えられてきました。

しかし、戦後急激に社会が変化したことに伴い、人々が従事する産業も変化し、農業を家業とする家族が減少していきました。そして少子化、核家族化、情報化、都市化などの環境の変化から、子どもに必要な三間（時間、空間、仲間）の喪失が指摘されるようになり、遊びの中で当たり前のようにあった自然と触れ合う機会の減少が社会的な問題になっています。このような社会的な背景から、乳幼児期を過ごす保育の場で子どもがどのように自然とかかわっていくのかが非常に重要になっているのです。

（2）保育における子どもと自然

保育の場では、古くから教育要領や保育指針などの公的なガイドラインに「豊かな人間性の育成」や「科学的態度の芽生え」を普遍的な願いとして位置づけ、飼育栽培や戸外保育などの実践を積み重ねてきました。そしてこれらの実践は、大正時代から取り入れられている伝統的な実践方法なのです。現在では、これらの実践に加えて、自然物での造形活動や、地域の資源を生かした自然遊びや食育につながるような活動、ネイチャーゲームなどの活動、持続可能な開発のための教育（ESD）の視点（本書 p.150 参照）での専門家との連携などさまざまな取り組みがなされています。さらに、教育要領や保育指針、教育・保育要領においても子どもがかかわる環境の一つとして自然環境の大切さが認識され、5領域の「環境」のねらいや内容の位置づけだけではなく、「幼児期の終わりまでに育ってほしい姿」としても「自然との関わり・生命尊重」が示されています（本書 p.148 ～ 149 参照）。

一方で、園庭がない園が増加し、子どもの外遊びの時間が減少していることや、業務の増加や人員不足により、園外保育・戸外保育などの自然とのかかわりに時間がとれないという現状、熱中症や感染症対策から水遊び、泥んこ遊びなどを中止している園の増加など保育の場を取り巻く環境は年々厳しくなっています。さらに、自然体験不足から、保育者自身が自然に対する知識や実践のための技術が乏しいと感じるという声が多く、自然とのかかわりの必要性やかかわり方がわからないという課題もあがっています。このような現状を踏まえ、自然とのかかわりの意義を再確認するとともに、その実践方法や援助のあり方などを学び、技術の習得をしていく機会をつくることが必要となっているのです。

2．自然の特性や種類

では、保育の場において子どもと自然とのかかわりを実践していく際には、どのようなことが大切なのでしょうか。人工的なものではなく自然とのかかわりの大切さを考えるための第一歩として、子どもが自然とかかわることで育まれる力について理解し、その上で自然の特性や種類についてしっかりととらえていく必要があります。

（1）自然とかかわることにより育まれる力

まず、子どもが自然とかかわることによる影響や効果について、スウェーデンでの研究を紹介します。スウェーデンでは子どもが自然とかかわる活動が盛んに行われており、保育の場でも取り入れられています。この効果を検証しようと、スウェーデンやアメリカの心理学、環境心理学、生物学、児童理学療法などの専門家らによって、年間を通して、森や自然で保育が行われている野外保育園と、街中の人工的な環境にある一般的な保育園の子どもたちの比較研究がなされました（本書 p.63、Column 参照）[1)]。その結果、森や自然の中で過ごすことが、子どもの健康、運動能力、集中力、遊びの多様性と創造性によい影響を与えることが観察されたのです。日本でもこれらの影響や効果についての研究は多くあり、子どもが自然とかかわり遊ぶ中で、豊かな感性、知的好奇心、探究心、思考力、想像力、創造力、健康な心と体、生き物を大切にする心など、さまざまな力が育つことが明らかになっています[2)]。このような力は、現在の予測がむずかしい社会の中で必要だといわれている「非認知能力」（下記 Column 参照）を育むことにもつながっていくのです。

Column　非認知能力とは

非認知能力とは、知能指数（IQ）のような数値化できる認知的スキルではなく、目標や意欲をもち、達成のためにがんばる力や仲間と協調して物事に取り組む力、感情をコントロールする力のような「学びに向かう力や姿勢」のことをいいます。この非認知能力は、「社会情動的スキル」とも呼ばれ、幼児期に育むべき力や姿勢として、OECD（経済協力開発機構）などが提唱しており、現在、世界中でその重要性が指摘されています。

（2）自然の特性

では、自然のどのような特性が、子どもによい影響や効果を及ぼすのでしょうか。自然はいろいろな性質をもっていますが、保育の場では、自然は複雑であり多様であること（多様性）、循環していること（循環性）、有限であること（有限性）、偶然の出会いが多いこと（偶然性）の４つの特性を念頭において、計画を考えていくとよいでしょう。

まず、自然が人工的なものと決定的に違うといわれるのがその多様性です。おもちゃなどの人工物は、人が意図的につくったものであり、文化や伝承、芸術としてすぐれたものもたくさんありますが、遊び方が一義的なものも多く見受けられます。一方、自然は同一の種類によって安定した形やパターンをもつ同一性や規則性があると同時に、多様な種類、形、色、手ざわり、匂い、長さ、大きさ、変化など一つとして完全に同じものはありません。この多様性によって、子ども自身が多様なものやかかわりをイメージすることができるようになり、その結果活動や遊びが広がっていくのです。

次に、自然は循環しており、有限であるという循環性と有限性の視点です。この循環性と有限性の視点は、持続可能な開発のための教育（ESD）（本書 p.150 参照）に必要な視点です。私たちが住んでいる地球は限りある空間であり資源も有限で、そのすべての生き物がつながり合い循環しています。この章の冒頭でも触れたように、社会の急激な変化の中で、私たちが便利な生活を追い求めてきた一方で、地球温暖化による暑さや台風等の増加のように、日々の暮らしにもその弊害が出てきています。自然の循環性と有限性という視点を保育者がもち、乳幼児期という人間形成の土台となる時期の子どもたちとともに、自然を大切にする気持ちや自然と共生していく生活を考えていく必要があるでしょう。

そして、自然との出会いは偶然であるという偶然性の視点です。動植物や自然事象とのかかわりは、偶然の一瞬の出会いからはじまることが多くあります。いくら計画を入念に立てていても、自然はその通りになってくれるとは限りません。だからこそ、一瞬の出会いや子どもの発見を見逃さずに大切にしていくことで、自然とのかかわりが深まっていくのです。

（3）自然の種類

次に、保育の場で子どもが出会う自然について具体的に見ていきましょう。保育の場で子どもが出会う自然は大きく以下の図表 2-1 のように５つに分類ができます。

自然の分類については、さまざまな分け方がありますが、実際に環境構成や活動の計画をしていく際に大切なのは、多様な自然を一括りにせずに、子どもがどのような自然とどのようにかかわり、その結果どのような体験ができるのかを具体的に考えてい

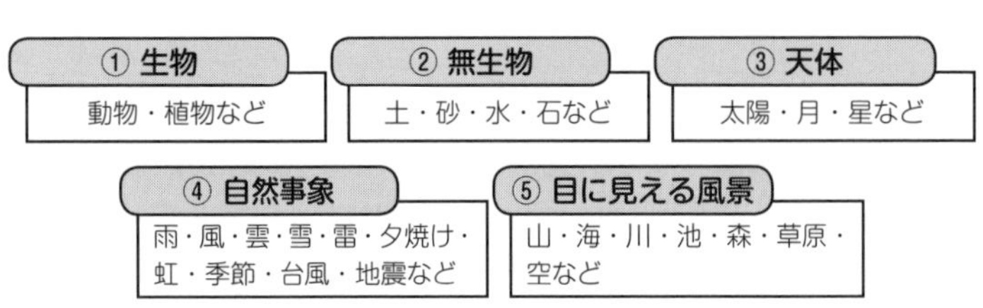

図表 2-1　保育の場で子どもが出会う自然

くことです。たとえば、同じ植物とのかかわりであっても、木登りへの挑戦と野菜の栽培では、体験する内容もその体験の中で子どもに育つ力も異なります。木登りの活動では、枝をつかむ位置や身体の使い方などを試行錯誤しながら、高い木にどうやって登ることができるのかを何度も試すことにより、集中力や思考力、判断力がつくとともに、身体能力が高まるということが考えられるでしょう。栽培の活動では、毎日食べるものがどのようにつくられているのかを知り、生き物と人間のつながりを考えるきっかけにもなるでしょう。このように、同じ「自然」「植物」であっても、それぞれの自然の種類や活動方法により、子どもが経験する内容や育つ力も変わってきます。まずは自分の園や地域にある自然の種類を把握し、どのような活動や遊び、体験が可能なのかを考えていきましょう。

Column　海外における自然を取り入れた保育実践

海外でも、自然とのかかわりが子どもの育ちに与える影響を考え、さまざまな保育実践が行われています。その一例として、デンマークからはじまり、ドイツを中心に行われている「森の幼稚園」と、スウェーデンの「森のムッレ教室」について紹介していきます。

「森の幼稚園」とは、四季を通じて森の中で過ごすことを通して、さまざまなことを学んでいく保育の形であり、1950年代にデンマークで1人の母親が森の中で保育を行ったことがはじまりといわれています。その後、北欧やドイツに広がり、現在ではヨーロッパ全土、そして日本でも取り入れられるようになっています。日本では、「森のようちえん」全国ネットワークがつくられ、森だけでなく、地域の自然を生かし、幼稚園や保育所、認定こども園などの公的な保育の場だけでなく、子育て支援の場や自然学校、自主保育サークルなどさまざまな場で実施されています。

「森のムッレ教室」は、1957年にスウェーデンのヨスタ・フロムによって開発された「ムッレ」という森の妖精を中心とする自然環境教育プログラムの一つです。ムッレは、スウェーデン語で土壌を意味する言葉が語源となっており、一年を通して自然に出かけ、自然の中で楽しむことを通して、自然を大切にする気持ちを育んでいきます。このプログラムは、5～6歳児を対象にした「森のムッレ教室」以外にも子どもの発達に応じたプログラムがあり、体験を通してエコロジー（生態学）を理解し、自然感覚を育んでいくような活動を提供しています。

3．子どもが自然とかかわりを深めるための視点

自然の特性や種類、自然とかかわることによる子どもへの影響や効果を踏まえ、具体的に保育の場で子どもが自然とのかかわりを深めていくための視点について解説します。

（1）日常性と継続性を大切にする

子どもが保育の場で自然と出会い、かかわりを深めていくためには、自然が子どもの「身近」な存在になっていくことが大切です。そのためには、子どもが毎日の生活の中で、日常的に継続的に自然とかかわることができる環境づくりが大切です。具体的な方法として、まず日々子どもが遊ぶ場所である園庭の自然について見直すことが効果的でしょう。

園庭の環境構成については、園の自然環境や子どもの体験の実態を把握することからはじめるとよいでしょう。現状を把握し、園庭の改善点を考えていきます。その際には長期的な視点をもち、樹木を植えたり手づくり遊具をつくるということも考えられるでしょう。また、比較的短期間でできる雑草園の作成や植物の栽培の計画からはじめてもよいでしょう。さらに、地域のフィールドに目を向けることで、園庭の有無にかかわらず活動の幅を広げることが可能になります。園内での体験に加え地域の自然を利用することで、より多様な自然とのかかわりや体験が可能になることがわかるでしょう。

なお、自然とのかかわりを深める園庭のあり方については、自然の特性で紹介した「多様性、循環性、有限性、偶然性」の視点や秋田らの「園庭環境多様性指標」が参考になります（本書 p.81「Active Learning !」2 ①参照）[3]。

（2）五感を使った体験を大切にする

子どもが自然とのかかわりを深めていくためのポイントとして、五感を使った体験を大切にすることがあげられます。私たちは目、耳、舌、鼻、皮膚を通して感じる五感を通して、周囲からの情報を得ていますが、80％以上の情報を視覚から得ているといわれています。さらに、小学校以上の教科指導では、視覚に加えて聴くという聴覚からの情報も多くなります。全身を使ってさまざまな感覚を身につけていく乳幼児期の保育では、視覚、聴覚だけでなく、嗅覚、味覚、触覚を使い、多様な直接体験ができるような環境構成や計画を意識していきましょう。「ざらざらしているね」「気持ちいいね」「この匂いすき」など、子どものつぶやきから五感を使った体験となっているか振り返りを行うのもよいでしょう。

（3）安全・危険への配慮、知識・技術の向上

自然の中での活動は、楽しいだけではなくときに危険が伴う場合もあり、私たちが予測できないことも起こり得ます。子どもが安心して、自然とかかわりを深めていくためには、安全を確保することが非常に大切です。そのためには、保育者が活動する場が安全であるか事前に確認し、危険なものを取り除くことや有毒な自然物がないか確認する、事故防止マニュアルを作成し共有するなど、危険への配慮と予測が必要です。特に園外での活動の場合には、活動場所の下見はもちろんのこと、救急用具や携帯電話を持参するなど緊急時への対応を考慮しましょう。

また、保育者自身が自然とかかわるための知識や技術を修得し、必要な場合には専門家と連携していくことが必要でしょう。たとえば、川遊びを行っている園では、川遊びのために園全体で保育者が資格を取得する機会を設け、子どもが安全に水遊びを行えるような環境づくりを行っています（本書 p.77、Column 参照）。また、冬には専門家と連携し、遠方に出向いて普段は体験できない雪上での合宿等も行っている園もあります。現在、各地に自然体験活動を実施する機関が増えていますので、このような機関の専門家と連携することで園内や地域だけでは体験できない自然とのかかわりも可能になります。また、自然

に関する講座や資格などを調べ、園で必要な講座を受けたり、資格の取得を推奨するなど普段とは異なる視点で学ぶことで保育の幅が広がるきっかけにもなっていくでしょう。

（4）保育者の役割

自然とのかかわりを語る際、必ず出会うレイチェル・カーソンの『センス・オブ・ワンダー』という書籍を紹介したいと思います。作家であり海洋学者である彼女は、子どもが神秘さや不思議さに目を見張る感性を「センス・オブ・ワンダー」と呼び、このセンス・オブ・ワンダーをいつも新鮮に保ち続けるためには「わたしたちが住んでいる世界のよろこび、感激、神秘などを子どもと一緒に再発見し、感動を分かち合ってくれる大人が、すくなくともひとり、そばにいる必要があります」と述べています[4)]。環境構成の見直しや年間計画の中に自然との体験を位置づけることももちろん大切ですが、子どもにとっては保育者がどのような心もちで、そばにいてくれるのかということも同じくらい大切なことなのです。自然の大きさ、美しさ、不思議さを感じ、その感動を分かち合ってくれる大人として保育者が子どもの傍らにいることが、子どもの体験をより鮮明なものにしていくでしょう。また、子どもの主体性を大切にすることは保育の原則になりますが、自然とのかかわりにおいても非常に大切な原則です。子ども自身の意欲や夢中になる気持ちを大切にし、自然への発見や気づき、感動、そして挑戦や試行錯誤など自然とかかわるプロセスを大切にしていくとよいでしょう。

保育実践の Point !

● 自然の特性や子どもへの影響・効果について知る

子どもが自然とかかわることで、どのような影響や効果があるのか、またその影響や効果はどのような自然の特性によるのかを保育者が知ることにより、自然とかかわる意義を理解して実践を行っていきましょう。

● 園や地域のフィールドの自然の種類を把握する

自然を一括りにせずに、園や地域にどのような自然の種類があるのかを把握し、その自然と子どもがどのようにかかわっていくことができるのかを考えていきましょう。

● 日常的に継続的に自然とかかわる場所として園庭を大切にする

毎日どの年齢の子どももすぐに行ける場所である園庭の環境を見直していきましょう。植えてすぐに芽を出すものもありますが、樹木など長期的な視点での環境構成も大切です。

● 五感を使った体験を意識する

五感を伴う体験が鮮烈な記憶として残っていきます。保育者が意識をして手ざわりや匂いについての声かけをしていくだけでも子どもの体験が変わってくるでしょう。

● 必要な知識、技術の向上を目指す

スウェーデンでは、「悪い天気はない、悪いのは服装だ」といわれ、適切な服装をすればどんな天気でも自然の中で遊ぶことができるといわれています。適切な服装や必要な道具、用具、危険な植物等、自然に対する知識や危険予測や怪我への対処方法などの技術を修得することで、安全に自然とのかかわりの実践ができます。

実　践　3　多様な遊びや活動が広がる植物とのかかわり

植物は「多様性」や「循環性」を一番感じることができる身近な自然です。特に日本には、生命力が強い雑草や植物が至るところに生えています。園内外の植物の分布を把握し、その特性や季節による変化を知ることにより、多様な遊びや季節を感じる活動にもつながるでしょう。一方で、その多様さゆえに植物とのかかわりを考えるときには、気をつけなければならないこともあります。現在、日本には有毒な植物が約2,000種類あるといわれています。地域をフィールドにした活動を行う際には、保育者が必ず下見を行い、危険な植物がないかを確認するとともに、有毒な植物についての本を子どもと一緒に見ながら共有するなど、危険も含めてかかわり方を知っていくことも大事な視点でしょう。

指導法例3－①　子どもたちと決める栽培計画（5歳児クラス）

この園では、毎年野菜の栽培を年間の計画に入れ、夏野菜などの苗植え、観察、水やり、収穫、調理などの活動を行っている。栽培の活動自体が園で定着してきたので、今年度は子どもたちと話し合い5歳児クラスのみんなが大好きな絵本『じゃがいもポテトくん』（長谷川義史作、小学館、2010）に出てくるじゃがいもの栽培も行うことになった。

子どもたちとじゃがいもの植え方や栽培について話し合っていると、散歩で通る「畑のおじさん」（子どもたちの呼び名）が知っているのではないかという話になり、園に話しに来てもらった。じゃがいもには、丸い「だんしゃく」、細長い「メークイン」などの種類があることを教えてもらい、たくさんの種類の中から「だんしゃく」「メークイン」「きたあかり」の3つの品種を植えることに決定。畑のおじさんから指導を受け、穴を掘り、半分に切り灰につけた種芋を土の中に置く。「たくさんのおいもがなりますように」そんな気持ちを込め、土をかぶせる。

その後、水やりや土の観察を続け、じゃがいもの育ちを心待ちにする子どもたち。収穫の当日、みんなで一生懸命土を掘り起こす。出てきたじゃがいもに「まん丸！」「細長いよ！」「色が違うね」と種類による形や色の違いを観察する。その後、収穫したじゃがいもでカレーやポテトサラダなどの調理の活動に発展していった。

＜子どもの姿＞
・毎年の栽培や収穫の経験から、イメージをもち自ら栽培活動について話す姿がある。
・給食などで食べている野菜を「今度は○○つくってみたい」など食材を栽培することに興味をもつ姿がある。
・野菜の絵本などに興味をもつ姿がある。

＜ねらい＞
・栽培活動を通して、自然と触れ合い、食べ物をつくる過程に興味をもつ。
・自分たちで栽培する野菜等を決め、主体的に計画し栽培活動を行う。

＜内容＞
・じゃがいもの栽培活動を行うことを楽しむ。

活動	時期	活動内容
栽培物の決定	4月下旬	・子ども自身が栽培する野菜に興味がもてるよう、絵本や昨年栽培した野菜の写真などを掲示し何を栽培したいか、保育者と子どもで話し合う。
準備	8月半ば～下旬	・栽培計画がイメージできるよう近所で畑をしている人に話を聞く。 ・栽培する野菜（品種）を決め、子どもたちと準備物を買いに行く。 ・種芋を切り、灰につけておく。
植え付け	9月上旬	・保育者がつくったうねに、スコップで土を掘り種芋も植え土をかける。
栽培・観察	9月～11月	・定期的に畑の様子を見たり、芽かきや土寄せ、水やりなどをし観察する。 ・観察した様子を描いた子どもの絵などを掲示し、保護者とも共有する。
収穫	11月～12月	・手で土を掘りじゃがいもを収穫する（収穫は5歳児だけでなく、3歳以上児が時間差で行う）。
調理	12月～	・子どもたちと調理する料理を決め、調理活動を行い、食べる。

＜配慮事項＞
・今年度は夏野菜の栽培を終えた9月ころからの秋植えのじゃがいもの栽培を行う。
・収穫の際には、試し掘りをして収穫時期を決める。
・植え付けや収穫は素手で行う予定であるが、子どもの姿に応じて軍手も用意しておく。
・収穫の量によっては家庭へのもち帰りも検討する。

5歳児の「じゃがいもの栽培計画」：20名（男児12名、女児8名）

Point　多くの園で行っている花や野菜の栽培は、苗や種を植え、芽が出て、葉が開き、花が咲き、実がなるという流れを体験し、その不思議さを見たり感じたり、普段食べている食べ物がどのようにできているのか考えるきっかけにもなる伝統ある活動です。特に園内での計画的な栽培の場合には、日常的に継続的に植物の成長を感じることができます。また、子どもが主体的に栽培にかかわる意欲をもつことができるように、子どもの意見を取り入れ一緒に栽培方法から調べていくことや、事例のように近所の人の協力を得ながら栽培を行うことも効果的でしょう。

指導法例3－②　季節を感じる野草の収穫と調理の援助

この園では、野菜の栽培とともに、野草の収穫や調理を年間を通して行っている。4月、春の訪れを感じながら、子どもたちはつくしとりやよもぎ団子づくりの活動を行っている。ばばばあちゃんのシリーズの『よもぎだんご』（さとうわきこ作、福音館書店、1989）の絵本を保育者と読み、絵本の中に描かれているつくしのはかまの取り方を確認してから、つくしの生えている土手に向かう。「つくしが出たよー　もう春だー♪」とうたいながらつくしとり開始だ。「せいたかのっぽだよー」「つくしのにおい、にがいねー」「これ太ってる」「これ美人」などとつくしの長さや匂い、太さ、形などについて話しながら次々と袋にとったつくしを入れていく子どもたち。園に戻ってからははかま取りを行う。「青くさいにおいがしてくるね」「このにおい好き～」「楽しいね」などといいながら、はかまを真剣に取っていく。がんばってはかまを取った大量のつくしを給食室で湯がいてもらい、ごま油でいためてつくしのきんぴらの完成。「おいしい！」「しゃきしゃきしている」「あまい……けどちょっとにがいね」などと自分たちでとってきた野草を味わう子どもたちである。

次の日は3月に摘んで冷凍してあったよもぎでよもぎ団子づくりだ。よもぎのにおいを感じながらころころ丸めて、おやつにきなこ味で食べた。「葉っぱとったときのにおいがするね～」とよもぎ独特の香りを感じながら、春の味を堪能した。

つくしとり

見て！
つくし!!

つくしのはかま取り

楽しいね！
このにおい好き～
青くさいにおいがしてくるね

おいしい！
しゃきしゃきしている

湯がいたつくし　→　つくしのきんぴらづくり　→　みんなでいただきます！

Point 野草は独特な苦みや香りがあるため、この事例のように五感を使った体験になります。昔は野草を採り、このような手作業を経て、調理し食べるという日々の営みが生活に根づいていました。現在は、コンビニエンスストアの弁当や外食など、自宅で調理する以外にも多様な選択肢が増え、食べるということが手軽になった一方で、食べ物の背後にある歴史や文化、人々の知恵や労働に気づきにくい環境になってきています。食べるということは生きることの基本であるということを感じる活動として、栽培活動だけでなく、この事例のような地域のフィールドを活用した活動が有効でしょう。

指導法例3−③ 自然の中での活動から広がる“海賊ごっこ”

● 園の環境

この園では、園舎の前にシンボルツリーのような梅の木があり、子どもたちに親しまれている。また、子どもたちが「森」と「川」と呼んでいる雑木林や小川があるフィールドがあり、年間を通して、野外活動を楽しむことができる。

● 子どもたちの様子

3、4、5歳児の異年齢保育の中で、それぞれが自然とかかわりながら、自由に遊んでいる。

3歳児のＮ太くんとＣ子ちゃんは、形状が独特のふじの木にまたがり、体重をかけてビヨンビヨンと動かしている。同じく3歳児のＦ美ちゃんも細い木につかまり、そのとなりにある小さな木の幹に乗り、バランスをとって「見て〜」と保育者にいっている。

4歳児のＴ介くんは、横になった樹木の上を平均台のように渡ってみたり、木々が重なって倒れている幹にジャンプして乗り、両足をまたいで慎重に少しずつ進んでいる。

5歳児のＧ男くんは、園舎前の梅の木にほかの子どもたちが登る姿を見て、自分も登ろうと一生懸命練習を続けている。

活動的な動きだけではなく、木の幹に寄りかかって木々を見上げくつろいでいる子どもや、木の幹に座って草花を夢中になっていじっている子どもなど、森の中でくつろいだり休んだりする子どもの姿も見られた。

● 4〜5歳児の“海賊ごっこ”の広がり

年度当初から4、5歳児の男の子たちの間で海賊ごっこが流行っていた。はじめは、木の棒や木片を剣や武器に見立てて戦いごっこをすることを繰り返していたが、あるとき「森」で5歳児のＨ夫くんが「海賊の家つくろうよ」といったことをきっかけに海賊の家づくりがはじまった。生えている細い樹木を支柱とし、そこに拾ってきた木の棒を斜めに立てかけていく。形ができあがるとＫ太くんは、白く書ける小石で海賊のマークを描き、一つ目の「海賊の家」ができあがった。この日をきっかけに海賊の家づくりが盛んになった。

特に、園舎前につくった「海賊の家」は本格的で、材料の木や石、竹などを「森」や「川」などのフィールドから拾ってきては、日々つくり変えていく。この海賊の家づくりは、場所を移動したり、形を変えたりしながら、9か月以上も続いた。

Point この事例のように、自然の多様性は「歩く、走る、登る、下りる、またがる、バランスをとる、わたる、跳ぶ、這う」というようなさまざまな動きを引き出します。乳幼児期は、生涯にわたって運動をしていくための基礎となる動きを幅広く獲得する時期のため、自然の対象や形状に応じたさまざまな動きの経験が、児童期以降の体力や運動の基礎となっていきます。また、自然の中では活動的な動きだけでなく、事例のように休んだり、くつろぐ子どもの姿も見られます。自然の中にいることで、心の安らぎを感じることは子どもだけでなく大人でも証明されており、領域「環境」だけでなく、健康な心と体を育む領域「健康」の内容にもつながることがわかるでしょう。

また自然物は、1本の木の棒が、剣にも鉄砲にも電車にも見立てることができる見立てやすさという点で、子どものごっこ遊びの素材として非常に適しています。形や色の多様性から、子どもが飾ったり、つくったりする素材としての魅力もあります。この事例の“海賊ごっこ”は、ものを見立てる、役になりきるという想像力を使ったごっこ遊びから、家をつくるという創造力が必要な遊びに発展しています。このように、遊びが継続して発展していくためには、自然物とのかかわりに限らず、遊びやイメージの世界が継続できるような保育者の見守りと環境が大切になるでしょう。

実践4　生命の尊さに気づき、生き物をいたわり大切にするかかわり

生き物との実践は、命とかかわる体験です。この体験から身近な動物に親しみをもって接したり、生命の尊さに気づいて、生き物をいたわったり、大切にしたりするという経験になるためには、子どもたちにとって本当の意味でその生き物が「身近」になっているかということがポイントになります。「身近」な生き物になるためには、子どもたちが示した生き物への興味・関心が続くように日々の生活の中で、継続してていねいに保育者が援助していくことが必要です。飼育などの活動を行っているという日常に満足せずに、そのプロセスを大切にしていくことで、以下のような心を動かされる生き物とのかかわりを体験し、生命を大切にする気持ちが育まれていくのです。

指導法例4－①　子どもの意見を大切にした山羊の洋服づくりの援助（5歳児クラス）

自然とのかかわりを大切にしているこの園では、その一環として山羊のみーちゃん（雌）を飼育している。子どもたちは、積極的にみーちゃんのお世話にかかわっており、みーちゃんと過ごすことが生活の中で根づいている。

ある冬のこと、洋服を着ずに過ごしているみーちゃんを見て、5歳児のＩ介くんが「みーちゃん寒いんじゃない？」といった。「寒そうだね」と一緒にいた5歳児のＪ也くん。人間のように洋服を着れば寒くなくなるのではないか……ということで、みーちゃんに洋服をつくってあげようという話になった。洋服をつくるために、まずはみーちゃんの体の大きさを測らなければならない。保育者やほかの子どもたちも手伝い、首、背中、お腹まわりをメジャーで測る。その様子を見ていた5歳児のＫ子ちゃん。犬を飼っているという経験から「動物の洋服は人間の洋服とは形が違うんだよ」と絵を描いてくれた。Ｉ介くんとＪ也くんは、その絵を見ながら「こういう形かな？」とカラーポリ袋でみーちゃん用につくってみることにした。何とか形ができあがった洋服を、みーちゃんに着せてみる。しかし、みーちゃんが動くたびに壊れていく洋服……。この様子を見たＩ介くんとＪ也くん。「山羊は洋服を着たくないんだね」と2週間かかった2人の壮大なプロジェクトの結論が出たのだった。

Point　言葉の話せない動物の気持ちを想像し、寒いのではないかというＩ介くんの疑問から、みーちゃんの服をつくるというプロジェクトに発展した事例です。同じ動物との出会いでも移動動物園のような一日の出会いではなく、継続して生活をともにしているからこそ感じたみーちゃんへの気持ちを保育者が間に入りながら大切に育んでいます。このように、子どもが自分からかかわろうとする意欲を大切にし、生き物とのかかわり方や気持ちを考えたり試したりしていく中で、身近な動物への親しみや畏敬の念、生命を大切にする気持ち、公共心、探究心などが養われていくのです。

指導法例4−② 子どものセミへの興味・関心に寄り添うかかわり（4歳児クラス）

この園では、夏になるとたくさんのセミの鳴き声が響くようになる。園庭では、小さい子どもたちがセミの抜け殻をとったり、服につけてもらったりして楽しんでいる姿があった。大きいクラスの子どもたちは、虫とり網でセミを捕まえている。

セミの幼虫発見！

ある夕方の自由遊びの時間、４歳児のＬ美ちゃんが、園庭の樹木の葉にセミの幼虫がついているのを発見した。「これからすぐ出るかな？」「ここ割れてるね」集まってきた子どもたちもじーっと様子を見守る。しばらくみんなで見ていたが、動きや変化がないため、次の日にまた見ようという約束をして、室内に入った。

セミに変化がない

次の日、セミがどうなっているか楽しみにして園に来たＬ美ちゃん。セミを見てみると、昨日と変化がない。

みんなで話し合おう

不思議に思ったＬ美ちゃんはこのことを担任保育者に話し、朝の会でクラスのみんなに話してみることにした。「どうして、出てこないんだろう？」という保育者の問いかけに、「出てこれなくなったんじゃない？」「ゆっくりゆっくり何日もかけて出てくるんだよ」「中で死んじゃったんじゃない？」とさまざまな意見が出た。

図鑑で調べよう！

朝の会のあと、図鑑でセミについて調べてみることにした子どもたち。図鑑の言葉はむずかしいので、担任保育者に読んでもらう。「日本に 30 種類いるんだって」「じゃあ、あそこにいたのは何ゼミ？」「アブラゼミじゃない？」このような会話から、アブラゼミではないかという予測がたち、アブラゼミのページに移った。図鑑には、幼虫が土の中で半年から１年ごとに脱皮を繰り返し、卵から７年目に地上に出てくること、羽化といって、通常夜中に２～３時間ほどかけて脱皮をすること、成虫になったセミは長く生きることができない（一般的には１週間～ 30 日程度生きるといわれている）ことなどが書いてあった。

子どもの気づき①

ぼくたちより長く土の中にいるんだね

子どもの気づき②

でも、出てきてから短いね……

子どもの気づき③

じゃあ、あのセミはどうなったの？

子どもの気づき④

やっぱり出られなかったんだよ

担任保育者が読んでくれるこれらの内容を聞きながら、さまざまな気づきを話す子どもたち。その後も何度かセミのことを見に行ったり、図鑑を見たりしながらクラス全体で、セミへの興味が続いていった。

Point　夏になると捕まえていたセミが羽化しそうな姿を見つけたところから、セミについての興味がクラス全体に広がっていく事例です。年間を通して継続したかかわりができる動物の飼育と異なり、時季が限定されていたり、偶然に左右される場合が多いのが虫との出会いです。そのため、この事例のような出会いを見逃さずにていねいにかかわっていく中で、生命の神秘に触れ、同じ虫や同じ種類でも多様な生態があることに気づいたり、人間とは違う生き物の一生について考えるということにつながっていくのです。

指導法例4－③　「いただきます」に込められた思いについて考える

この園では、自然に親しみをもち、自然を大切にする気持ちを育むとともに、人間もほかの命に生かされているということを体験から感じることができるように、鶏の飼育やお米の栽培活動を行っている。しかし、園長は近年これらの活動が形だけになってしまっているのではないかということを感じていた。

そこで、園内研修として鶏を飼うきっかけとなった『いのちをいただく』（坂本義喜原案、内田美智子作、魚戸おさむとゆかいななかまたち絵、講談社、2013）という絵本の読み合わせを改めて行うことにした。この絵本は、食肉加工センターで牛を“解く”仕事をしている坂本さんの体験が絵本となっており、「命」について考える内容になっている。読み合わせ後、それぞれの保育者からは「自分たちが食べているものが自分以外の命であるということに気づいた」「いただきますと毎日何気なくいっていたけれど、命をいただきますという意味なんだなと改めて感じた」などの感想が出た。

その後、日々の保育の中で、命の循環についてのパネルシアターや紙コップシアターなどを行い、子どもとともに「命をいただいている」ということについて考える機会を設けたり、昼食時には「たくさんの命をいただきます」とあいさつするなどの実践につながっていった。

紙コップシアター

Point　普段、私たちが口にしている食べ物も命であり、それぞれの命がつながっているという「命の循環」を感じることができる事例です。保育の場では、日々の当たり前の実践の中に、保育者がどのような自然観をもっているのかということが表れてきます。子どもたちは、まわりにいる大人がどのように命に向き合っているかということをよく見ています。飼育や栽培などの活動が形だけにならないようにしたいものです。そのためには、この事例のように、園内研修などでそれぞれの保育者が実践の中でどのようなことを子どもたちに伝えていきたいのかを確認し合う機会を設けることも大切でしょう。

実践 5　土・砂・泥・水などの変化を楽しむかかわり

土や砂、泥、水などの自然は、応答性が非常に高く変化に富む素材であるというすぐれた特徴をもっています。たとえば、泥団子のように子どもが働きかけると形や感触、色などが変化し、何度でもその変化や感触、形等を楽しむことができます。この特徴を十分楽しむことができるように、保育者は事前に汚れてもよい着替えなどを保護者に用意してもらったり、シャベルやスコップ、バケツなど遊びのための道具や用具を揃えるなどの準備を行います。また、園外での活動の場合には、下見をするなど危険防止のための対策をしっかり行いましょう。

指導法例5−①　ダイナミックな泥んこ遊びへつながるかかわり（5歳児クラス）

この園では、年間を通して砂場だけでなく、園庭全体の砂や土、水を使って砂遊びや泥遊びを思い切り楽しむ活動を行っている。春が近づいてきたある日、園庭では砂や泥でのダイナミックな遊びが繰り広げられていた。

水場の近くには、水を出し地面の土と水を混ぜ全身を泥まみれにして楽しんでいる子どもたちの姿があり「泥んこ風呂だよ〜」「気持ちいい〜」と泥の感触を楽しんでいる。また、「ゾンビになれる土はふわふわの土だよ」「ゾンビだぞ〜」と園で流行っているゾンビごっこをしている子どももいた。

砂場では5歳児クラスの男児たちが大きな山をつくりトンネルを掘り、川を流そうとしている。「まだだよ。そうっとね」「少しずつ水をかけて……かためてかためて」「こっちの川とこっちの川をつなげるよ」と声をかけ合いながら山をつくっている。園舎の横には、サラサラの砂があるため、泥団子づくりが盛んだ。夢中でつくっている子どもたちの顔は真剣そのもの。水っぽい泥を丸めていき丸い形ができると、今度はサラサラの砂をかけながら磨くという作業を、何度も何度も繰り返している。ピカピカに磨かれた泥団子を保育者に見せ、「すごいピカピカになったよ！」「光っているでしょ！」と達成感にあふれる表情の子どもたちだった。

Point　土や砂、泥、水はその素材としての特性からさまざまな遊び方が可能になります。また、この事例のように、土、砂、泥、水とかかわる子どもたちのつぶやきに多いのが、五感の中でも「さらさら、どろどろ、ふわふわ、気持ちいい」など触感にかかわる言葉です。砂や泥、水に触れ、体全体で感じる気持ちよさはほかの自然とは異なるダイナミックな体験になり、心を開放して遊ぶことができるとともに、山をつくる、穴を掘る、砂を握る、磨くなど、手や指を使い道具を操作し、対象物を変化させるという体験にもなるのです。

指導法例５－②　園庭での穴掘り遊びへの継続的なかかわり

雨が降り続いた６月、土が水を含みどろどろになった園庭では、地面を掘ったり泥団子をつくったりという遊びが盛んであった。あるとき、５歳児のＭ也くんが泥んこ遊びの途中に穴を掘りはじめた。その姿を見た子どもたちも穴掘りに夢中になった。大きなスコップをもってきて、足をスコップの柄の部分にかけながら「すっごく深く掘りたいな」と力いっぱい掘っていく。「どのくらい深く掘る？」「ブラジルにいくくらい」「ここに川つくろうぜ」「これつなげちゃだめ？」などといいながら真剣に穴掘りをしている。どんどん掘っていくと土の中から貝殻を発見した。「海とつながってるから埋まってたんだよ」と３歳児のＮ男くん。穴が深くなり、そこに雨が降ると穴の中に水がたまるようになった。子どもたちは、その水の中に入り、泡がぼこぼこと出てきているところを見つけるなど、穴を掘りながらさまざまな発見をしていった。この穴掘りは半年近く続き、子どもたちが入れるほどの大きな穴がいくつもできた。Ｍ也くんが卒園するころには、たくさんの穴がつながり大きな道になったのだった。

Point　穴を掘る、ただただ掘る……この遊びが半年以上続いたということは、穴を掘るという行為が子どもにとってそれだけおもしろい遊びだということを表しています。砂や土、泥は応答性があり、子どもの働きかけに対して変化していきますが、この園庭での穴掘りは、長い時間をかけて子どもたちが継続してかかわっていくことで、その変化が形として残り、子どもたちの一つの作品のようになっていることがわかります。園内の環境や保育者の考え方にもよりますが、毎日の片づけのたびに遊びがリセットされる室内玩具と比較し、この事例のように長期間形が残っていくことで、遊びを継続するイメージがもてるということが自然の魅力の一つでしょう。

実践 6　偶然の出会いを大切にした自然事象とのかかわり

自然の事象は、さまざまな条件が重なって起こるため、ほかの自然遊びとは異なり偶然性が非常に高くなります。そのため、その出来事と出会った際には、偶然の出会いを大切にし、ほかの計画があった場合にも計画を変更するなど、その瞬間を逃さない保育者の配慮が必要でしょう。一方で、地震大国であり、四方を海に囲まれた日本では、さまざまな災害や日照り、大雨など予測できない自然の驚異に人々の生活や命が左右されてきた歴史があります。ここでは事例として取り上げていませんが、現在、大規模な災害も増えており、自然とのかかわりは美しく楽しいだけではなく、ときに脅威にもなるということを踏まえ、それらに対する備えや訓練を子どもとともに行うことも大切です。

指導法例6－①　外に出たいと思えるような環境づくり

この園では、日常的に自然とのかかわりを大切にし、裸足保育や田植え、稲刈り、畑仕事を行うとともに、年間を通して積極的に戸外活動を取り入れている。しかし、1～2月の寒い時期には、積極的に園庭に出てくる子どもが少なくなってしまうことがあり、外に出たいと思えるような環境づくりの一つとして「足湯」をすることにした。

ある寒い日、保育者がたらいにお湯を用意していると徐々に子どもがそのまわりに集まってきた。お湯がたまるまでの時間、子どもたちの吐く息は白くなっている。お湯がたまると待ってましたといわんばかりに急いで足を湯につけ、座る子どもたち。「あったかいね～」「足だけしか入ってないのに体がすごく熱くなってきた」といい、顔を見合わせて笑っている。この日の前日には、裏庭で柿を収穫していたので、足を湯に入れながら5歳児のP太くんが「足湯に柿を入れたらいい匂いがするんじゃない？」と保育者に伝えてきた。「いいね」と保育者も同意し、みんなで湯の中に柿を入れてみることに……。「なんか甘い匂いがするね」「気持ちいいね」といい合いながら柿湯を楽しんでいる子どもたちだった。

Point　日本は、四季の変化が世界に類をみないほど繊細かつ明瞭であるといわれています。そのため、自然事象の中でも、特に身近にその変化を感じることができるのが、季節の変化なのです。暑い夏には水遊びや川遊び、冬の寒さには足湯……のような保育者の一工夫で、暑さや寒さの厳しい毎日を楽しく過ごすことができるようになるとともに、目には見えない季節の変化を肌で感じることができる時間になるでしょう。

指導法例6－② 雨の日の遊びへの援助

この園では、雨の日でも雨ガッパを着て園庭で遊ぶ。この日は、朝から強い雨が降っていたが、子どもたちはカッパを着て長靴を履き、それぞれが園庭へ繰り出していく。

側溝に葉っぱが詰まってしまい保育者がかき出しているのを見て手伝いをする子ども、屋根から降ってくる雨の塊をあびて「修行だ～」といっている子ども、スコップをもって水がたまった土を掘る子どもなど、思い思いに雨とのかかわりを楽しんでいる。

園舎の屋根の下では、４歳児のQ夫くんとR介くんが屋根に当たる雨の音を聞き「すごい音だよ～」「ぼしゃぼしゃぼしゃ～」「違う違うじゃばじゃば～」「ふふふふ」とジェスチャーをつけながら雨の音や降る様子を表現していた。

Point この事例のように適切な服装をすることで雨の中でも遊ぶことができ、雨の冷たさや強さ、音、泥と混ざったときの不思議さなどを、五感を使って感じることができます。カッパではなく傘をさして園庭に出る活動や、ビニール袋でカッパをつくり外に出てみる活動など身近な雨という自然事象をどう楽しむかを考えてみるのもよいでしょう。

指導法例6－③ 園庭で行う朝の会

この園では、年間を通して自然の中で過ごすことを大切にし、朝の会や帰りの会も園庭で行う機会を設けている。

園庭には、子どもたちが座る木枠があり、保育者を中心にそこに座り朝の会がはじまる。まずは、保育者が日にちを確認したあと、必ずみんなで空を見上げて、天気を共有する。

ある日の朝の会では、「はれー」と天気を共有したあと、次のようなやりとりがあった。「なんか（空の色が）薄い」「なんかまぶしい」「違ういつもと」「うん。青じゃない」。この日の空は、確かに銀色のような不思議な空の色だった。保育者が「まぶしいけど色が青じゃない。あれ？　青もある？」と問いかけると子どもたちはじーっと空を見つめる。「青もあるけど……水色かな」と４歳児のS男くん。「青と水色がちょっとずつあるけど」

「雲があんまり見えないよ」「なんで今日は青じゃないのにさ、お日様が見えるんだろう？」と口々に空について話す子どもたちだった。

Point 朝の会、帰りの会などを園庭で行うことにより、自然を実際に体験しながら自然の様子や不思議さ、感じていることについてじっくり話すことができます。この事例では、空の色や光の加減、雲の多さなどを観察し、空の色とお日様の関係について考えるなどたった何分かのやりとりの中で、子どもたちがさまざまなことを感じていることがわかります。保育者が意識して、子どもと一緒に自然を観察したり、自然についてじっくり話すという時間を積み重ねていくとよいでしょう。

Column 自然に触れることのできる川遊び

暑い時期には、園内のプールなどでの水遊びだけでなく、地域の自然を利用した川遊びや海での磯遊びなどを導入するのもよいでしょう。

ある園では、園の目の前に流れている川での川遊びを導入しています。導入するためにまず行ったことは、川の水質についての関係各所への問い合わせと川遊びについての資格の取得です。資格は、国の認定団体である「River Activities Council NPO法人 川に学ぶ体験活動協議会（RAC）」のリーダー講習を園で実施し「RACアシスタント・リーダー」を系列園の保育者や職員が取得しました。講習では、川という自然への理解や安全対策、基礎技術などを実技や座学で学びます。資格取得の講習での知識は、川遊びの実践の際の大きな助けとなっています。

資格の取得後、保護者には川遊びを実施すること、その際RACの資格保有者が引率する旨を掲示し、川遊びとプール遊びを子ども自身や保護者と相談しながら選択できる仕組みをつくりました。実施するかどうかの判断は、水深、水温、流れのスピードを計測し、水かさなどの安全を確認し決めます。子どもたちはライフジャケットと川遊び用シューズを着用し、服装からも危険回避を行っています。川に着くと、まず保育者が川に入り、状況や危険を確認するとともに、川上と川下にロープを張り、泳ぐ範囲を決めます。はじめての子どもは、入る瞬間のひやっという川の冷たさと流れに体がもっていかれるような感覚に、怖さを感じながら慎重に水に入る姿があります。プールとは異なる緊張感をもちながら、少しずつ川に慣れ、楽しむようになっていくのです。

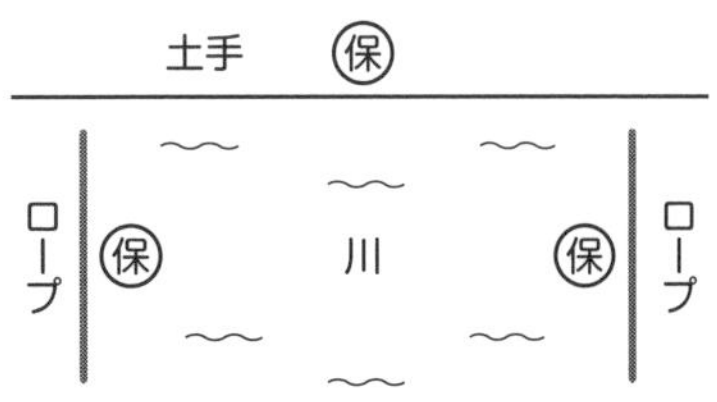

川遊びの際の保育者の配置の一例

この園のように、普段とは異なる自然の中で遊ぶ際には、その自然の対象を理解し、十分なリスクマネジメントを行うことで、水や川だけでなく、地域の自然への親しみも深まり、楽しく活動することができるでしょう。また、自然は、楽しいだけでなく、人間が簡単にコントロールできない対象でもあるということを保育者自身が理解することも大切です。

実践 7　自然とのかかわりを深める園外保育や園庭環境

自然とのかかわりを保育の場でさらに深めていくための視点として、散歩などの園外保育での工夫、日常的に自然とかかわる場としての園庭の環境構成について、紹介したいと思います。

指導法例7－①　地域のフィールドを生かした散歩

この園は、子どもの足で出かけられる範囲内にある公園や小さな山の上にある城跡、見晴らしがよく新幹線が見える場所、野草がとれる土手など地域のフィールドを生かし、さまざまな自然と触れ合っている。０歳児は月齢により６人乗りのベビーカーやカートに乗って散歩に行くが、歩けるようになってくると保育者と手をつないで歩くということを経験している。１歳児クラスになると友達と手をつないで、近くの公園や地域のさまざまな場所を歩いて散歩をする。2、３歳児になると日々の散歩で体力がついてきたことがよくわかり、坂道や長めのコースもがんばって歩けるようになっていく。このように日々の生活の中で散歩を楽しみ、4、５歳になると、１時間ほどかけて少し遠い公園にも行くことができるようになる。

子どもたちは歩きながら、さまざまな自然物や生き物と出会う。そのため、園ではお散歩バッグを家でつくってきてもらい、子どもたちが拾ったものをバッグに入れながら歩くことができるようにしている。毎日の散歩を楽しみにしている１歳のU也くんは、お迎え時に必ずお散歩バッグをもってきて、その日集めた実や自然物を保護者に見せるのが日課になっている。ヒノキの実や葉っぱ、石などさまざまなものが入っているバッグを見て、保護者もその日の散歩の様子が目に浮かぶのだった。

Point　現在、園庭がない園も増えていますが、この事例のように地域のフィールドを活用することによってさまざまな活動や体験の幅が広がります。園全体で「お散歩マップ」を作成したり（本書 p.111 参照）、下見に行くなどして地域にはどのような資源があるのかを把握し、その資源を利用した活動の可能性について話し合うことも有効です。また、この事例のようにお散歩バッグなどを使用することで、子どもたちが安心して散歩で出会ったものを拾ったり、もち帰ってくることができます。園外で出会ったものを使って園内で製作したり、遊んだり、保護者と共有することで園外での散歩の体験と園内や家庭での生活がつながっていくきっかけにもなるでしょう。

指導法例 7－② 長期的な園庭の環境構成

この園では、自然と触れ合うことができ、子ども自身が遊びを生み出すことができるような園庭の環境づくりに取り組んでいる。園庭には、季節の花々が咲き、築山の上にある手づくりの小屋が、子どもたちの遊び場になっている。また、園庭内には畑もあり、栽培を楽しむと同時に、ふきのとうのような野草やきんかん、みかん、柿、梅などの実がなる木がたくさんあり、その実をもいで食べるという活動も行っている。園庭のほかにも法人全体で共有しているフィールドがいくつかあり、子どもが楽しむ多様な仕かけがあるわくわくする空間になっている。そのような環境の中で、保育者が心を砕いているのが、日々の環境整備である。環境の係を１年ごとに決め、その係の担当者が園内の環境整備の司令塔となり、畑や季節の花、草むしりなどの環境全般をチェックしている。特に雑草などの草花は、子どもたちの遊び道具になる大事な教材である反面、放っておくと繁殖するため、草むしりも保育者の大切な業務の一つになっている。

Point 子どもが、日常的に継続的に自然とかかわる場として、園庭や園のフィールドの環境をどう構成していくのかを、長期的な視点をもって園の職員全体で考えていくことは自然とのかかわりにおいて欠かせないことです。同時に、日々の生活の中で子どもたちが安心して意欲をもって自然とかかわるためには、日々の整備も欠かせないということがわかります。園庭に多様な植栽を行うことで、虫や鳥、小動物などの生き物が訪れたり住処になる可能性もあり、園の中で命のつながりを感じたり、循環性の体験が可能になるでしょう。また、普段子どもたちが遊んでいる園庭にどのような自然の要素があり、その要素が子どもたちのどのような遊びにつながっているのかを考えるために、右のような園庭マップも有効でしょう（本書 p.81 も参照）。

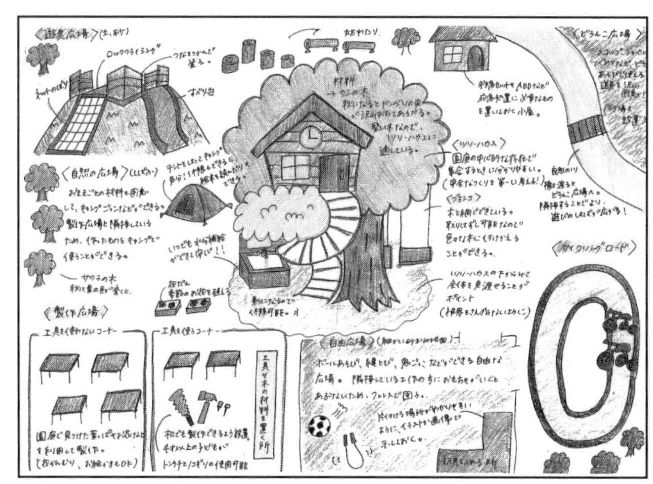

園庭マップの例

Active Learning !

1 身近な葉っぱで遊んでみよう！

① 葉っぱを拾ってこよう。

Hint! 種類、形、色、手ざわり、匂い、長さ、大きさなどなるべく違うものを見つけてみよう。

② クラスの仲間と葉っぱで遊んでみよう。

Hint! 下の例①～④のように、五感を使う活動や手先を使う活動、仲間と競う活動など、さまざまなねらいをもった活動を子どもの気持ちになって楽しんでみよう。そして実際の保育場面でも実践してみよう。

例①：葉っぱのフィールドビンゴ（多様性）

右のように形、色、手ざわり、匂い、大きさなど葉っぱの特徴を書いたます目をつくり、ビンゴ表を作成する。拾ってきた葉っぱの中で特徴に当てはまるものがあれば、ます目にチェックを入れ、縦・横・斜めいずれか一列がそろえば1ビンゴ。何列ビンゴができるか仲間同士で競う。さまざまな葉っぱの特徴を確認しながら楽しめる。

葉っぱ

茶色	小指より小さい	ざらざら	星型
いい匂い	緑色	くさい臭い	さらさら
細長い	とんがっている	黄色	手のひらより大きい
つるつる	赤色	ちくちく	穴があいている

例②：クラスの木の作成―葉っぱに顔をつけてみよう（多様性）

事前に大きな模造紙に木の幹を描いておく。拾ってきた葉っぱの中から１枚選び、白い丸シール（１人２枚）を目に見立てて貼り顔を描く。顔が描けたら、両面テープで模造紙に貼り、クラス全員の葉っぱの顔が貼られたクラスの木の完成。子どもたちと行う場合、木の幹も一緒に描いたり、ちぎり絵などをしてもよい。多様な葉っぱがあることを知り、想像力も育まれる。

例③：葉っぱの長さ比べ（多様性）

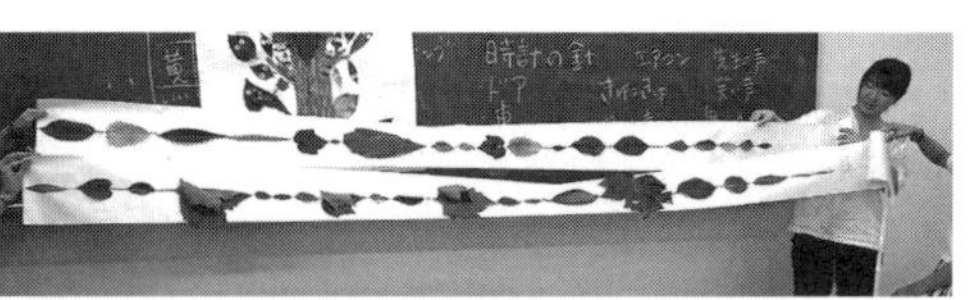

細長い紙に横一列に両面テープを貼ったものを用意する。クラスで２グループをつくり（人数は同じにする）、拾ってきた葉っぱから１枚選び、葉っぱを一人ずつ、細長い紙に貼っていく。全員が貼り、どちらのグループの葉っぱが長いかを競う。どちらが長くなるか楽しみながら、さまざまな葉っぱの種類などを知ることができる。

例④：葉っぱの一生（循環性・有限性）

白いビニールシートを用意し、拾ってきた葉っぱを近い色味順にグラデーションのように丸く並べる（たとえば、黄緑→緑→深緑→薄茶→茶など）。葉っぱの色味の変化から、葉っぱの一生を表していることや自然の変化を知ることができる。葉っぱは土に戻すことで分解され自然に還るため、最後は土に戻す。自然の循環についても確認できる。

2 園庭マップを描いてみよう！

① 下表を参考に、園庭にどのような要素が必要かを考えてみよう。

Hint! まず、植物や草花、雑草などはどの程度、どこに配置するのか、石や土、砂、水とはどのような形で触れ合えるようにするのかなど種類ごとに考えてみよう。さらに、以下の表の15項目の視点で、数や種類、位置、ほかの環境との組み合わせについても考えよう。

物理的環境	子どもの多様な経験	確認欄
自然と触れ合うことができる環境	1. 土や砂遊び場	
	2. 水遊び場	
	3. 芝生地や雑草地	
	4. 樹木やツル性植物	
	5. 菜園や花壇	
	6. 飼育動物	
体を使って楽しむことができる環境	7. 築山や斜面	
	8. 遊具	
	9. ひらけたスペース	
自由に発想し工夫ができる環境	10. 道具や素材	
休憩や穏やかな活動ができる環境	11. 休憩や穏やかな活動の場所	
園全体の活動を支えるための環境	12. 日よけ	
	13. 園庭と園舎のつながり	
	14. 全体的な配置	
保護者が地域の方と交流できる環境	15. 保護者や地域の人との交流の場所	

園庭環境多様性指標15項目「園庭多様性指標」（Cedep, 2017）

② A3用紙（または模造紙）に園庭マップを作成しよう。

Hint! 色鉛筆や色ペンを使って、わかりやすく描こう。また、①の表の視点が入っているかどうか、①の確認欄にチェックしながら書いていこう。園の規模や園庭を使用する子どもの年齢も想定して考えよう。その際、図や絵だけでなく、その環境に込めた願いや遊び方、環境構成のポイントなども書いておこう（右記参照）。

※ 引用した書籍、ホームページなどがある場合には、裏に出典やURLを記載する。

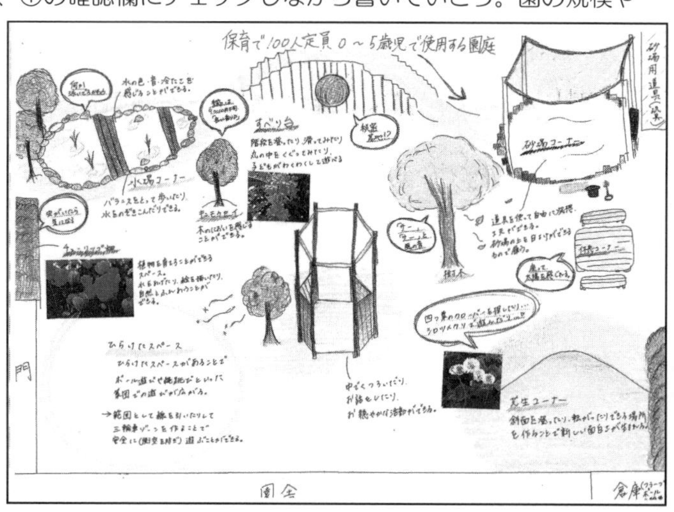

Part 2

第3章 数量・図形とのかかわりの実践について学ぼう

1．子どもの生活と数量・図形

子どもたちが園で生活する上で、数を数えたり、量を比べたり、図形に触れる機会はとても多くあります。たとえば、おやつの時間、当番が一緒に机に座っている人数を「いち、に、さん、よん」と数え、おやつも「いち、に、さん、よん」と同じ分だけ数えもって行き、一人に一つずつ配ることで数に触れています。また、クラスで飼っている、カメの水槽を洗って新しく水を入れる際に、いつもは小さいコップで何回も水をくんでようやく水槽がいっぱいになっていたのに、砂場にある大きいバケツで水をくむと、一度で水槽がいっぱいになったという経験を通して、コップとバケツでは一度にくめる水の量が違うらしいと気づき、水を入れるものの形や大きさによって、入る量が違うことにも関心をもつようになるのです。また別の機会には、家から園までの登園の道のりで、丸い形をしたマンホールがあったり、三角の標識があったりと生活の中には図形もたくさん存在しています。図形に興味・関心をもった子どもたちは、自ら意欲的に道中で図形を探して発見します。

保育者は子どもたちが生活する中で、このように数量や図形に興味・関心をもち、生活に取り入れていくような援助を行っていくことが大切です。そのためには、気づきのヒントとなる環境や興味が広がるような環境を工夫していくことも大事になっていきます。

2．子どもの遊びと数量・図形

子どもたちは遊びの中で一体どのように数量や図形と触れていると思いますか。よく見る光景として、ブランコを順番で使うために「５数えたら交代ね」とルールを決め、「いーち、にー、さーん、よーん、ごー」とみんなで一緒に数えて交代しています。これは、遊びの中で子どもたちが数に触れている一例です。そして、数を数えることで、みんなが平等に使えるようになるという数のもつ働きについても何となく感じているのです。

また、いも掘りに行ったときには、掘ったいもを見て、大きいいも、小さいいもという、「大、小」に気づき、それをもったときには、重いいもと軽いいもがあることに気がつき、大きさや量を理解していくのです。そのいもを使ってスイートポテトをつくろうとすると、量をきちんと量ることでおいしいスイートポテトができます。量を量ることの利便性にも触れる機会となります。

子どもたちが図形に触れる機会として一番に思いつくのは、積み木などです。積み木は遊ぶだけではなく、箱の中にきれいに並べて片づけることも、三角を２つ重ねると四角になるとか、大きいものから入れるとどうやらうまくいくらしい……など、頭を悩ませ、仲間と知恵を出し合い、試行錯誤していく中で、図形の特性についても知っていきます。

乳幼児期における数量や図形についての指導は、小学校のように、確実に数を数えることや、知識を教えることが目的ではありません。あくまでも興味・関心を広げること、数量や図形にかかわる感覚を豊かにしていくことが求められているのです。それが、小学校以上の学びの基盤となるのです。

3．子どもの発達と数量・図形

保育者は、現在の子どもの興味・関心を踏まえ、子どもの発達を考慮し、今までの経験とこれから先の発達を見通して、子どもが遊びを継続して、さらに発展していくように考えて、日々の保育を実践していますが、それは数量や図形についても同じことです。それでは、まずは乳幼児期の数量と図形の発達の概念について確認していきましょう。

（1）子どもの数量の概念の発達

みなさんは乳児（０歳児）に数がわかると思いますか。以前は６～７歳くらいになってようやく数の概念がわかるとされていましたが、今は５か月の乳児も数が増えることを直観的に理解しているとわかってきました。数の概念の獲得は、「数詞（ものを数えるときの言葉）」⇒「一対一対応（一つのものに一つの数字を対応させて数えること）」⇒「量の獲得（見かけに左右されずとらえる）」のおおむね３段階だといわれています[1)]。

幼児期は特に、視覚に左右されやすく同じ高さの積み木が２つあっても並べ方が違うと、どちらかが高いと認識しやすいので、実際に積み直していくことで、２つが同じ数であるということを理解するようになります。このような幼児期における数量の概念の発達の特性を理解しつつ保育を行っていく必要があります。

数量の概念の発達は、図表 3-1 にまとめていますので、確認しておきましょう。

年齢	内容
3歳	・一対一対応ができる ・数唱することができる ・集合数がわかる ・３までの数の選択ができる
4歳	・順序数がわかる ・10までの数唱、集合数と数の選択ができる
5歳	・20以下の一対一対応、数唱、集合数ができ、「1つ多い」「1つ少ない」が理解できる

※表の中では、1、2、3と数を順に呼ぶことを「数唱」、数唱した結果、全部で〇であるということがわかることを「集合数」、あるものの順番を示すことを「順序数」、「3個ください」といわれ、たくさんの中から3個選ぶことを「数の選択」と表現している。

河原紀子監修『０歳～６歳子どもの発達と保育の本』学研プラス、2018 および湯汲英史『０歳～６歳子どもの発達とレジリエンス保育の本』学研プラス、2018 を参考に筆者作成

図表 3-1　数量の概念の発達

（2）子どもの図形の概念の発達

乳児はどのような図形を好み、認識していくかを紹介していきます。まず、乳児を対象とした1960年代、ファンツの乳児の注視時間から見た図形のパターンに対する好みの研究で、乳児は、柄がないものより、柄のあるもの、同心円のものや縞、顔図形も好んで見るということがわかっています[2)]。乳児が好む図形パターンは図表3-2のようになっています。それでは次に、図形の認識がどのような順番になっているのかを説明します。まず、乳児のころに丸い形を最初に認識し、その後1歳くらいから三角、四角を認識するようになります。

また、何歳くらいでどの形が書けるようになるのでしょうか。図表3-3にまとめましたので確認しましょう。まずはじめは、縦や横の線を模写ができるようになります。その後、書きはじめと書きおわりをつなげることができるようになり、丸が模写できるようになります。続いて角が表現できるようになり、四角形、三角形、ひし形の順で書けるようになっていきます。およそ0歳で丸、1歳で三角、四角の図形を認識していますが、模写できるようになるのはそれよりあとになります。図形の模写ができるようになるためには、認識の発達とともに、手指の操作の発達も大切な要素となります。

図表3-2　ファンツの研究からみる乳児が好む図形のパターン

山口真美「乳児の視覚世界―研究方法と近年のトピックスについて」日本視覚学会、冬季大会特別講演、2010、p.13

0歳	丸を型にはめられる
1歳	丸、三角、四角の型はめができる
2歳	縦線や横線
3歳	丸
4歳	四角形
5歳	三角形
6歳	ひし形

図表3-3　図形の概念の発達

河原紀子監修『0歳～6歳子どもの発達と保育の本』学研プラス、2018および湯汲英史『0歳～6歳子どもの発達とレジリエンス保育の本』学研プラス、2018を参考に筆者作成

（3）子どもの数量・図形の発達をとらえた保育者の援助

たとえば、同じ積み木を用意するにも、1歳児クラスと5歳児クラスでは、遊びの様子が違います。よって、用意する積み木の形も数も変わってきます。

1歳児ではたくさんの形を用意するより、四角のみを数個用意します。子どもは、保育者とのかかわりの中で、積み木を積み上げては倒すという遊びに夢中になるでしょう。はじめはなかなかうまく積めなかった積み木も、何回も繰り返すごとに、自分でも上手に積めるようになっていきます。最初から三角など上に積めない形を一緒に用意しておくと、いつまでたっても積めないので楽しめません。今、必要でないものはしまっておき、適切なタイミングを見て、少しずつ形の種類と積み木の数を増やしていくほうがよいのです。

5歳児クラスでは、見立て遊びもはじまり、いろいろな形を組み合わせてどんどん想像力をふくらませて遊べるように、形は積み木の全種類を用意して、数も多く用意することで、遊びが発展し充実します。

つまり、子どもの興味・関心は当然のことながら、子どもの図形や数量に対しての発達も押さえた上で、保育者は環境を準備したり、工夫したりしていく必要があるのです。

Column　高さ・時間・空間の認識の発達

高さ、時間、空間の認識はどのように発達していくのでしょうか。

まず高さの認識は、2歳くらいになると、「高い一低い」のように対比してとらえることができるようになっていきます。その後、5歳半くらいまでは、視覚要素に左右され、見かけで判断することが多く、5歳半を過ぎるころから論理的思考が可能となり、見かけに頼らず答えるようになっていきます。

時間に対しての認識は、高さの認識より遅く、4歳くらいになってようやく、現在のこと、過去のことを区別して認識して表現するようになります。その後、5歳半くらいから、未来に対しての認識と、同時に空間としての三次元の認識も発達し、6歳を過ぎるころから三次元の世界がどんどん豊かになっていきます。

高さの認識の発達	
2歳	・「高い一低い」などの二次元的な認識を獲得する。
5歳～5歳半	・見かけは違うが高さの同じ塔を見せると、どちらかが高いと答えることが多い。
5歳半～6歳	・見かけの違う高さの同じ塔に対して、「同じ」と答えることができはじめる。

時間・空間の認識の発達	
4歳	・「昔一今」の認識を獲得して、表現できるようになる。
5歳半～6歳	・時間的（「昔一今一将来」など）、空間的（「前一横一後ろ」など）なことを三次元の世界で形成される。 ・「縦一横一高さ」を含む三次元の製作を行うようになる。

河原紀子監修『0歳～6歳子どもの発達と保育の本』学研プラス、2018および『0歳～6歳子どもの発達とレジリエンス保育の本』学研プラス、2018を参考に筆者作成

保育実践の Point !

● 遊びや生活の中で体験を通して数量や図形に興味・関心をもつようにする

子どもが日常の生活や遊びの中で、必要性を感じて数を数えたり、図形を組み合わせたりするような経験を積み重ねる中で興味・関心をもつようにします。

● 保育者や友達と一緒にやりとりを通して数量や図形に触れることで親しむ

数量や図形に対しての知識を教えることが目的ではありません。子どもの興味・関心からはじまり、遊びや生活の中で保育者や友達とのやりとりの中で数量を扱った活動が生まれ、自然に数量や図形に関する感覚が豊かになるようにしましょう。

● 数量・図形への興味・関心が深まるような環境を準備する

保育者は、子どもの興味・関心と発達、今までの経験とこれから先の発達を踏まえ、遊びが継続し、発展していくように、そのときどきに合った適切な環境を準備しましょう。

実践 8　生活や遊びの中での数量とのかかわり

子どもが遊びの中でどのように数とかかわり、生活に取り入れていくのか、そのとき保育者はどのような思いで、どのように働きかけをしたのかを紹介していきます。

指導法例8－①　保育者とのやりとりを通した数とのかかわり（2歳児クラス）

R美の姿 ①　50まで数えられるの

2歳児クラス、3月R美ちゃん。4月から小学校に行く兄がおり、小学校に向けて準備している。その影響を受けてと思われるが、「50まで数えられるの。お兄ちゃんに教えてもらったの」「1、2、3、4、」と数えて得意そうにしている。

保育者の読み取り

現在の姿から、R美ちゃんは数唱ができ、数に関心があることが読み取れる。その後もR美ちゃんが生活の中でいろいろなものを数えている姿を見かけた。

R美の姿 ②　数が合わない……

数日後、R美ちゃんが、並べたブロックを、1、2、3、4、5……と数えていた。しかしそのときは、数を唱えていたときと違い、自信なさそうに、目が合った保育者の顔をちらっと見ては見ぬふりをして、数を数えている。その様子を見ていると、ブロックの数と、数唱は合っていない。

保育者の読み取り

R美ちゃんの現在の姿は、数に関心があり、数を唱えることができるが、一対一対応はできていないことがわかった。

R美の姿 ③　1個、2個、3個。全部で3個

同じころ、保育者と子どもだけではじめて行くお別れ遠足が近づいていた。そこで弁当、弁当袋、レジャーシート、布製のリュックサックなどが保育室に用意され、クラスの中では遠足ごっこが盛り上がっていた。

R美ちゃんが、「これは、R美の分、これはS先生の分、これはT先生にどうぞ」とお弁当箱を3つもってきた。そこで、保育者は「デザートもあるといいよね」「リンゴを3個もってきてくれる？」とR美ちゃんに頼ん

だ。R美ちゃんは、リンゴを3個もってきた。そこで、保育者は、リンゴを指さしながら、「R美ちゃんの分、S先生の分、T先生の分」「1個、2個、3個。全部で3個」「このリンゴ、お弁当箱の上に一つずつ置いてくれる？」とR美ちゃんにお願いした。

R美ちゃんはお弁当の上にりんごを載せながら、保育者と同じように「Rちゃんの分、S先生の分、T先生の分」、「1個、2個、3個」とずれることなく数えていった。

保育者の読み取り

リンゴを3個もってくるように伝えたのは、3個という数詞とものの3個がR美ちゃんの中で理解できているかを確認したいと思ったからだ。理解ができているということを踏まえ、お弁当とデザートを分けるということで、R美ちゃんが試していた、一対一対応を伝えてみようとしたのである。2歳児であれば、一対一対応ができないこともめずらしくない。しかし、R美ちゃんが今、数に関心をもっていることから、保育者は、遊びの中で少し数に対しての働きかけをし、R美ちゃんの関心を高めたいと考えた。

R美の姿④ R美の役割 ── おやつの配膳

次の日、おやつの時間に保育者がお皿を並べ、その上におせんべいを一つずつ置いていく様子を、R美ちゃんは横でじっと見ている。保育者はR美ちゃんに「お手伝いしてくれる？」と頼んでみた。R美ちゃんはうれしそうに、お皿の上に1枚ずつおせんべいを置きながら、「1個、2個、3個、4個」と数えていく。4個おせんべいが置けたら、次はトレイに4皿載せ、座っている友達一人一人に配って回る。R美ちゃんはそれから毎回おやつの配膳を担い、クラスの中でR美ちゃんの役割ができた。

保育者の読み取り

2歳児クラスでは当番を決めてはいない。また、おやつの配膳などのお手伝いをお願いすることもほとんどない。しかし、R美ちゃんの遊びを通しての数とのかかわりを見ていたことから、R美ちゃんが、おやつを取り分けるお手伝いをしたい気持ちになっていること、そしてそれが可能であることに気づいていたためお願いをした。また、ちょうど3歳児への進級に向けて取り組んでいる時期でもあったため、クラスのほかの子どもたちにも保育者のお手伝いをすることや、クラスの中で役割を担うことに気づいてくれたらという思いもありお願いをしたのである。

Point 保育者は、子どもの一般的な発達過程を念頭に置きながら、目の前にいる子どもの発達過程を把握した上で、本人の興味・関心を踏まえて保育していく必要があります。併せて、生活や遊びの中で、体験を通して保育者とやりとりしながら多様な経験を積み重ねていくことも大切です。また、数を数えることの便利さや必要感にも少しずつ気づくように援助していけるとよいでしょう。

指導法例8－② さつまいもの収穫から数量への関心を広げる活動の展開（5歳児クラス）

子どもの姿 ── 数量への関心の高まり

子どもたちと育てていたさつまいもが収穫の時期を迎えた。さつまいもの収穫では、「赤ちゃんいも」「お父さんいも」「へびいも」など、子どもたちはさつまいもの大きさや形の違いに興味をもって名前をつけていた。家庭へのもち帰り用に、子どもたちと袋に10本ずつさつまいもを入れて運ぶとき、袋の重さが違うことに気づいたK美ちゃんが「あれ？　違うよ」と袋の中身を確認した。10本ずつ同じ数が入っていても重さが違うことに気づいて「どうして？」と問いかけるK美ちゃんに、「大きさが違う」「こっちのほうが大きいおいもが多い！」と気づくM菜ちゃん。数だけでなく、大きさ（重さ）にも気をつけて、もう一度、袋の中のさつまいもをクラスのみんなで分け直すこととなった。

保育者の思い ── 数量への関心を翌日の保育へつなげたい

大事に育てていたさつまいもの収穫がとてもうれしい様子だった。小さなさつまいもにも「赤ちゃんいも」と名づけて親しみをもち、どのさつまいもも大事に扱っている姿は大切にしたいと感じた。収穫したさつまいもを10本ずつもち帰ることができるよう袋に分ける作業を子どもたちが行えるように計画し、数を扱う経験になればよいと考えたが、私の予想を超えて子どもたちは数だけでなく、運ぶという作業から重さも実感できる機会となった。数が同じでも重さが違うというK美ちゃんの気づきと、それが大きさの違いによるものであるというM菜ちゃんの気づきはとても大切であると感じ、クラスのみんなでこのことを共有できたことはとてもよかったと思う。子どもたちの数や量への関心を大切に、翌日の保育へつなげたい。

翌日の保育の計画

11月15日（○）　みどり組（5歳児）		27名（男児14名、女児13名）	
ねらい	・秋の自然に親しみ、工夫して遊ぶ。 ・身のまわりのものの大きさや量に関心をもつ。	内容	・園庭の落ち葉や木の実等、秋の自然物を自分たちの遊びに取り入れて遊ぶ。 ・秋の自然物などの重さを量ったり、比べたりして遊ぶ。
時間	環境構成	予想される子どもの姿	保育者の援助・配慮
9:45 11:40	 ・保育室の中央に、自然物（どんぐり、まつぼっくり、小枝、落ち葉）を使いやすいように種類別にかごに入れておく。 ・製作コーナーには、素材（毛糸、色画用紙、モール、リボン、ビーズ、カラーアルミ箔）を用意する。 ・テラスに、重さ比べコーナーをつくる。 いも　はかり　テラス はかり2つ　天秤2つ はかり・天秤の使い方シート 小さなさつまいも （食用にならないもの）	○好きな遊びに取り組む。 <保育室> ・秋の自然物を取り入れ、友達と誘い合い、レストランごっこを楽しむ。 ・秋の自然物を使って、アクセサリーやおもちゃなどを製作して遊ぶ。 ・友達の作品を見て、よいところを言葉にして伝えたり、まねたりする。 <園庭> ・園庭でリレーやサッカーなど、ルールのある遊びを楽しむ。 ・さつまいもをはかりに載せ重さを量ったり、天秤の上に載せて重さを比べたりする。 ・大きさの違いで重さを予測して試したりする。 ・重い順にさつまいもを並べてみたりする。 ○片づけ	・子ども同士で楽しむ姿を見守る。 ・子どもの発想を大切にし、自由につくることができるようにする。 ・必要に応じて手を貸したり、一緒に考えたりして、子どもがイメージしたものをつくることができるようにする。 ・友達の作品を見ることができるようにできあがった製作物を並べて置く。 ・トラブルがあっても、自分たちでルールを話し合い解決できるように必要に応じて援助する。 ・はかりや天秤の使い方を一緒に行いながら伝える。 ・子ども一人一人の気づきを大切にする。 ・重さと大きさの関係に気づけるよう、子どもが自由に試せるようにする。

実際の活動の展開

さつまいもチャンピオン
「どのおいもが一番重いかな？」
「ぼくのおいもが一番だ！」

どっちが重いか当ててみよう
「やっぱり大きいほうが重いね！」
「小さいの２個と大きいの１個どっちが重いかな？」

石ころはどうかな？
「いろんな石ころをはかってみよう」
「石の重さを書いておきたい」
「石のコレクションできた！」

どんぐりも量ってみよう
「どんぐりは軽いね！」「まつぼっくりはどうかな？」「葉っぱは軽いぞ」

発見！「石より大きなまつぼっくりのほうが軽いよ！　なんで⁉」

保育者の振り返り

思った以上に子どもたちははかりや天秤で重さを量ることを楽しみ、重さへの関心を高めることができた。Ｓ助くん、Ｋ吾くん、Ｈ男くん、Ａ彦くんは、大きさから重さを予想して天秤で重いさつまいもを競うゲームを楽しんでいた。一方、Ｎ美ちゃん、Ｈ子ちゃん、Ｌ香ちゃんは秋の自然物などさまざまなものの重さを比べることが楽しい様子であった。石とまつぼっくりを比べ、大きなまつぼっくりより小さな石のほうが重いことを発見し驚いていた。予想していたことと違っていた驚きと疑問を大切に、明日はもっとさまざまな素材を用意してコーナーに置いてみたい。Ｒ也くんは石を量ることにこだわり、石を１つずつ量ってははかりの数字を紙に書きとめその上に石を置いていた。急いで、石を入れる箱を用意したが、Ｒ也くんは石を１つずつ書いた数字の上に並べて置きたかった様子で箱は使わなかった。紙の上に固定されずに置かれた石はすぐにずれたり落ちたりしてしまうので、明日はＲ也くんの石のコレクションのイメージに合った石の置き方を一緒に考えてみたい。

Point　園生活の中には、子どもたちが数や量に触れる機会がたくさんあります。生活や遊びの中で示す子どもたちの数や量への関心をとらえて働きかけていくことが大切です。保育者が数や量の知識を教えたりするのではなく、子どもが数や量に自らかかわって遊ぶことのできる環境を用意し、試したり、考えたりするプロセスを保障していきます。子どもたちは、そのプロセスを楽しみながら、数や量の感覚を豊かにしたり、法則性に気づいたりしていきます。

実 践 9　図形への興味・関心を広げる遊びの展開

フレーベルの恩物には積み木、色板など図形を使ったものが多数存在しています。フレーベルの恩物（次頁 Column 参照）そのものをそのまま使用した実践ではありませんが、第７恩物「色板」を活用し、子どもが図形に親しむ実践を紹介していきます。

指導法例９　図形への興味・関心から新しい活動へとつなげる援助（４歳児クラス）

● 子どもの姿

生活発表会で『ぐりとぐら』（中川李枝子作、大村百合子絵、福音館書店、1967）を演じることになり、それぞれ自分の役のお面づくりをしていた。そのとき、ぐら役でお面をつくっているＪ奈ちゃんが「ぐらは三角と丸なんだよ」という。保育者もまわりの友達も何のことかわからず黙っていた。Ｊ奈ちゃんは続けて、「ほら、お顔」「三角に切って、反対にしたらできあがり」「お耳は丸を書いて切って」「お顔に貼るの」「ほら。ぐらのできあがり」と、かわいいぐらのお面ができていた。まわりの友達も「わぁ。ぐらだ」「ぐらは三角と丸だ」と新たな発見に目を輝かせ、「ぼくもつくろぉ」と同じように三角と丸でぐりとぐらのお面をつくった。

保育者は、ねずみを三角と丸の図形で見立ててつくったＪ奈ちゃんの気づきと、クラスのみんなの発見したときの目の輝きを見逃さず、新たに環境に「図形」を取り入れてみようと思い、フレーベルの色板を準備してみた。

● 環境の準備

・絵本（玉成恩物研究会編『フレーベルの恩物であそぼう』フレーベル館、2000）

・フレーベルの恩物「色板」

保育者の予想通り、子どもたちは新しく用意された「色板」に関心をもち、いろいろと試しはじめた。絵本の中に見本が少し載っているので、まねからはじめる子どももいれば、自分でいろいろ試しながら、魚、家、風車などさまざまにつくっていった。クラスで盛り上がっていった遊びだが、「色板」の数が少ないこと、せっかくつくっても片づけなければならないことなど課題が出てきた。そこで保育者は１年間の作品をひとまとめにする「作品集の表紙」を、折り紙を三角、四角、丸に切り、図形でつくった絵づくりをすることにした。

● 作品集の表紙づくり（20 人分）

① 準備物……折り紙（三角・四角・丸、各 100 枚）、画用紙（20 枚＋ 10 枚予備）、クレパス（個人）、折り紙の受け皿（10 枚＋１枚予備）、のりの受け皿（10 枚）、のり、ぬれタオル（５枚）、下敷き（20 枚＋予備）、はさみ（保育者用）

② 保育室の環境構成と事前準備

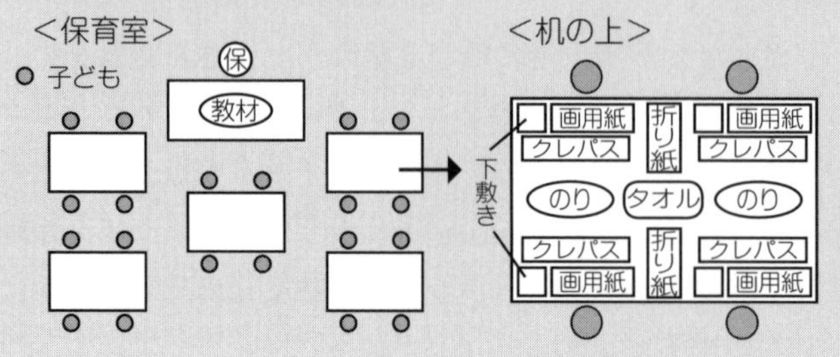

<事前準備>

・折り紙を三角・四角・丸に切って各 100 枚以上つくっておく。

・見本をつくる。

・教材の準備。

③ つくり方

1）クレパスを準備する。⇒2）下敷き、画用紙、ぬれタオル、のり、折り紙を配る。⇒ 3）形をつくって、のりで貼る。⇒4）絵を描く。

④ つくる前に伝えておくこと（約束しておくこと）

のりの扱い方	折り紙の扱い方
・服の袖にのりがつき汚れないよう、腕まくりをしておくとよい。 ・机や画用紙につかないように「下敷き」の上でのりを塗ること。 ・手についたのりは、机や服で拭かない。ぬれタオルで拭くこと。 ・折り紙の色のついてないほうにのりを塗ると、色のほうが表になる。 ・人数分ののりがないときは、友達と一緒に使うこと。	・折り紙の入ったケースが人数分ないときは友達と一緒に使うこと。 ・折り紙が足りなくなったら、新しいものをもらいに行く。 ・小さくしたいときは、保育者のところへ行きハサミで切る。

⑤ 子どもが困りそうなことやトラブルとそれを防ぐために

・イメージが湧かない。形が考えられない。⇒友達の作品を披露する。

・好きな色や形がない。見つからない。⇒保育者のところにある折り紙から探す。そこになければ、あるもので考えるようにする。

⑥ この活動を通して知ってほしいこと、学んでほしいこと（ねらい）

図形に親しみ、いろいろな形を組み合わせてイメージしたものをつくることを楽しむ。

⑦ この活動を通して経験したこと（内容）

・折り紙の三角・四角・丸を組み合わせて製作する。

・のりの扱い方を知る。

⑧ 活動のまとめ

・作品を紹介して、友達の作品にも関心をもてるようにする。

・丸、三角、四角でいろいろなものがつくることができることを確認する。

・身のまわりにも、丸、三角、四角のものがあることに気づけるような話をする。

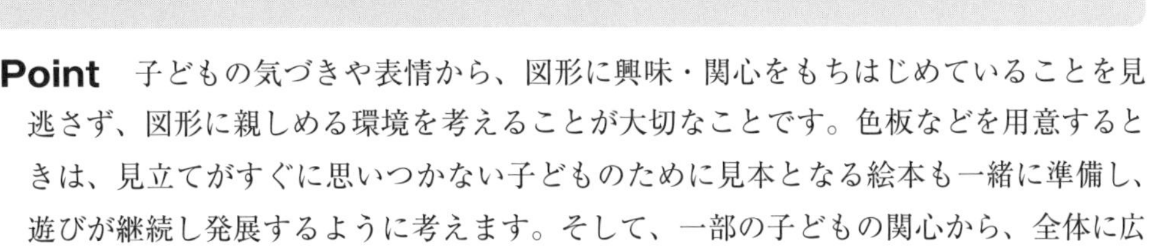

Point 子どもの気づきや表情から、図形に興味・関心をもちはじめていることを見逃さず、図形に親しめる環境を考えることが大切なことです。色板などを用意するときは、見立てがすぐに思いつかない子どものために見本となる絵本も一緒に準備し、遊びが継続し発展するように考えます。そして、一部の子どもの関心から、全体に広がりクラス全体の活動につなげていくのもよいでしょう。

Column フレーベルの恩物

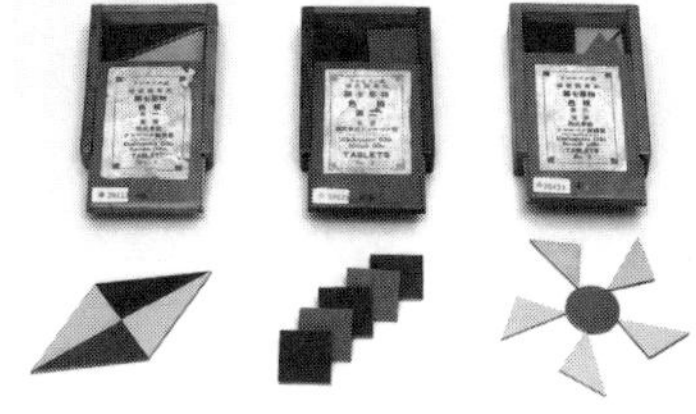

第７恩物「色板」（お茶の水女子大学所蔵）

フリードリッヒ・フレーベルが創案した教育遊具を「恩物」といいます。「恩物」は、子どもの中に秘められている神性を伸ばすための遊び道具であり、神が人間に与えた賜物であるという意味から「Gabe」（独）「Gift」（英）と名づけられ、日本では関信三により「恩物」「賜物」と訳されました。「恩物」は遊具を通して自然を理解させることと、遊具によって子どもの創造力を育むことを目標としており、第１恩物から第20恩物まであります。

Active Learning！

1 「長い！」をつくろう！

① 新聞紙を用意しよう。

② どのように切ってもよいので一番長くなる方法を考えて切ってみよう。

Hint! テープで貼ってつないだりしないようにしよう。

③ 切りおわったら、床に並べてみよう。

④ 一番長く切れた人の勝ち。

⑤ どのように切れば一番長く切れたかを聞いてみよう。

⑥ 反対に一番短かった人がどのように切ったかも聞いてみよう。

⑦ 一番短いものと、一番長いものを比較して差を測ってみよう。

⑧ 保育現場で子どもたちが行うことを想定して、どのように保育に取り入れることができるか考え、考えたことを文章でまとめてみよう。

Hint! 取り組む年齢によって、行う内容がどのように変わるかを考えてみよう。
保護者・異年齢グループで競うなどのやり方も考えてみよう。

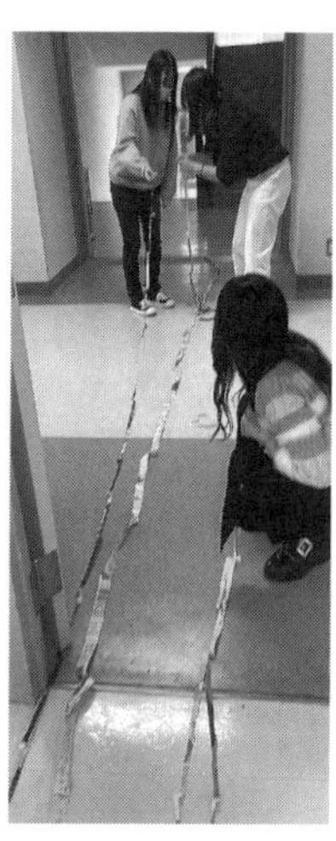

2 「野菜のスタンプ」をやってみよう！

① グループ内で子どもの対象年齢と時期と人数を設定しよう。

Hint! 年齢や時期によって、野菜の種類や数、取り組む内容を考えてみよう。

②「野菜のスタンプ」の準備をしよう。

Hint! 絵の具、水、皿などの材料や用具、ピーマン、オクラなどの野菜で必要なものとその数を書き出してみよう。

③「野菜のスタンプ」の手順と約束を考えよう。

Hint! 画用紙を準備してからどのような野菜を準備するのか、絵の具はいつ用意するとよいのか、一つの野菜は、１色の絵の具にするのか、別の色を使いたい場合どうするのかなど、グループ内の手順と約束を決めておこう。

④ 実際に手順通りやってみよう。

Hint! やってみてうまくいかなかった点、手順を変えたほうがよい点、子どもがやりそうな失敗などをメモしておこう。

⑤ グループディスカッションをしよう。

Hint! やってみた反省や感想を発表して、子どもと行うことを想定した場合の手順を考えてみよう。

⑥「野菜のスタンプ」の活動を取り入れた指導計画を立案しよう。

Hint!「野菜のスタンプ」の指導計画の一例

<table>
<tr><td>日時</td><td colspan="2">○○○○　年　7　月　○　日</td><td>5歳児クラス（やま組）
20名（男児10名　女児10名）</td></tr>
<tr><td colspan="4"><子どもの姿>
・二十日大根やプチトマトの栽培を通して野菜の収穫に関心をもっている。
・園外保育などに行き、街中で丸い形や四角い形のものなどを探している。</td></tr>
<tr><td colspan="4"><ねらい>
・視点を変えることで違う形が見えてくる不思議さに気づく。
・自然界にも丸い形や四角い形が存在していることを知る。</td></tr>
<tr><td colspan="4"><内容>
・野菜のスタンプを行う。
・野菜のスタンプの活動を通して、野菜の表面と断面の形の違いを知る。</td></tr>
<tr><td>時間</td><td>環境構成</td><td>予想される子どもの姿</td><td>保育者の援助と留意点</td></tr>
<tr><td>9：30

9：50</td><td><保育室>
ロッカー　出入口　机　机　机　机　おもちゃ棚　子ども　保　ピアノ

<準備物>
・絵の具（5色）
・水
・皿
※皿に絵の具と水を混ぜスタンプしやすいよう調整しておく。
・野菜（5種類）
※野菜は給食で使用した破棄部分等を用意しておく。
・画用紙（20枚＋予備）
・雑巾</td><td>○活動の準備
・汚れてもよいように、スモック（エプロン）を着る。
○各自、自分の椅子に座る
○絵本の読み聞かせ（『やさいのおなか』きうちかつ作・絵、福音館書店、1997）
・『やさいのおなか』の絵を見て、何の野菜かを考える。
・ぱっと見てすぐに何の野菜かを答える子どもがいる。
・考えている途中で他の子が答えてしまい残念そうにしている子どもがいる。
○保育者の話を聞く
・野菜に興味をもって話を聞く。
・自分たちも「野菜のおなかスタンプをしてみたい」という声があがる。
・野菜のおなかスタンプに関心をもち、「早くやりたいなぁ」「どの野菜のスタンプにしようかなぁ？」など思い思いに話をする。
○野菜のスタンプ</td><td>・机が汚れてもよいようにテーブルクロスをかけておく。
・スモック（エプロン）など汚れてもよい服装に着替えるように伝える。
・自分の椅子に座るように声をかける。
・全員見えるところに座っているか確認する。
・答えられない子どもやじっくり考えたい子どもに対しての配慮として、「5数えるまでは答えないこと」という約束をしてから読んでいく。
・実際に自分で収穫した野菜と今日使用する野菜の名前、形、断面図（おなか）など、野菜について紹介する。
・野菜のおなかでスタンプしてみたらどんな感じになるか、実際にスタンプして紹介する。
・「野菜のおなかスタンプしよう」と声をかけ、野菜スタンプの準備に入る。</td></tr>
</table>

第4章 標識・文字とのかかわりの実践について学ぼう

1．子どもと標識・文字

子どもは家庭や保育の場、地域の中で、さまざまな標識や文字に囲まれて生活しています。たとえば、地域や公共の場には交通標識、トイレや非常口などの場所を案内するもの、方向や距離、制限や禁止、注意喚起などの情報を視覚的にわかりやすく示すものなど多様な標識が設置されています。保育の場にも、園内のクラス・グループ・トイレなど、子どもに伝えたいメッセージを絵や記号・マークなどで表している標識があります。

子どもたちは何らかのきっかけで標識や文字に気づき、「何かな」と興味をもちます。そして、読みたい、書きたい（描きたい）、つくりたいという意欲をもち、遊びや生活の中に取り入れていきます。

2．保育の場にある標識

園内の各所には子どもが目で見て理解できるような標識（表示・マークなど）がたくさんあります。たとえば、保育室（クラス）や職員室など部屋の名称を知らせるもの、ものの置き場所を知らせるもの、生活の流れや約束事を知らせるもの、危険を知らせるものなど、文字が読めない子どもにも見てわかるような絵や矢印、○×などの記号で示されたものもあります。言葉では伝わりにくい内容も、標識やマークなどによってイメージをもちやすくなることがあります。

クラス表示

一人一人の子どものマークを決めている園もあります。これは子どもにとってもっとも身近な標識ともいえ、自分の所持品や、自分のものを置く場所などに名前と一緒につけられます。保護者にも知らせ、1年間同じマークを使います。文字が読めない子どもにもわかりやすく、自分のものや場がわかるとともに、他児のものや場との区別をすることができます。

図書室

道具箱の片づけ方

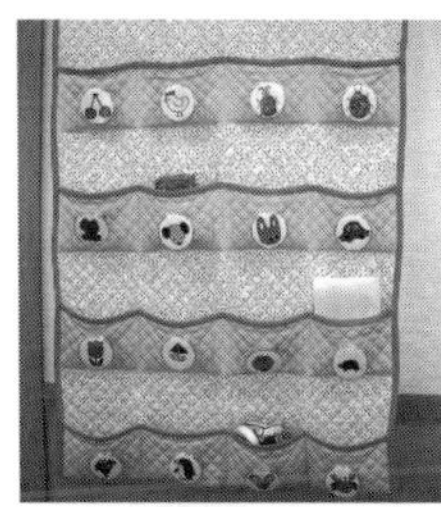
連絡帳入れ

子どものトレードマーク

帽子ハンガー

3．子どもの必要性に基づく標識

園生活の流れを理解し、自分たちで園生活のための取り組みができるようになると、子どもが遊びや生活の中で必要感に基づいた標識をつくることがあります。

I園の園庭には池があり、色とりどりの鯉や金魚が泳いでいます。ある日、5歳児クラスの子どもたちが池の鯉をつかまえる遊びをはじめました。つかまえては池に戻すことを繰り返しているうちに、鯉はだんだん元気がなくなってきました。その様子に気づいた子どもたちに、保育者が「どうして元気がなくなっちゃったんだと思う？」と問いかけました。すると子どもたちは「ぼくたちがつかまえて、外に出しちゃったから」と気づきました。どうしたらよいか考えた子どもたちは「つかまえないで」と紙に書きました。しかし、字が読めない年下の子どもたちのことに気づき、文字のほかに金魚や鯉の絵を描いて、×印を描き加えた立て札をつくり、池の近くの花壇に立てかけました。

このように、保育者が提案したり教えたりするのではなく、子どもたちが必要性を感じて、他者に知らせたいと思うことを形にしていくことが大切です。子どもたちはその経験を通して身のまわりにある標識等に注目し、その意味を理解してルールや約束事を守ろうとする気持ちが育まれていきます。保育者は子どもたちの自発的な活動を見守り、さりげなく材料や道具を用意したり、子どもの求めに応じて適切なアドバイスをするなどして、子どもたちの必要感に基づいた活動を支えていくことが大切です。

また、子どもは家庭での生活や登園・降園の際に、園外でさまざまな交通標識や生活に必要な標識を目にしています。機会をとらえて、生活や安全に必要な標識を理解できるような働きかけも必要です。

4．子どもの生活と文字への興味・関心

子どもは日々の生活の中で、テレビ、ビデオ、パソコンなどのデジタル機器、食品や生活雑貨などのパッケージ、店舗などの看板、公園や交通機関の表示、絵本、おもちゃなど多くの文字を目にしています。はじめは文字の形を覚えて識別していますが、次第にいろいろな文字があることに気づき、読んだり書いたりすることに興味をもっていきます。

園生活の中では、名札や下駄箱、ロッカーなどに書かれている自分の名前を最初に覚え

ます。次第に友達の名前や絵本などに同じ文字が出てくることを発見して喜んだり、保護者が連絡帳に記入しているところを見て文字を書きたがる子どももいます。

絵本や紙芝居、七夕の笹飾りの短冊に願いごとを書くことや、お正月の年賀状をきっかけにして手紙ごっこがはじまり、文字への関心が高まることもあります。友達が文字を書く様子を見ていて「自分も書きたい」という意欲をもつ子どももいます。いずれにしても保育者は、子どもの興味・関心を見逃さず、読みたい・書きたいという意欲を実現できるようにすることが大切です。

5．子どもの文字とのかかわりを支える援助

子どもが文字に気づき親しみをもつきっかけに絵本があります。保育の場では、絵本のセリフを覚えて遊びの中で使ったり、あたかも読んでいるかのように絵本を見てセリフを発する子どもの姿がよく見られます。ある保育者は絵本の読み聞かせのときに、書名と一緒に作者や出版社の名称も読んでいました。すると子どもたちは「この間と同じだ」と気づくようになり、絵本の背表紙の文字を見て並べたのでしょう。本棚に同じ出版社の絵本がまとまって並べられ、保育者が意図しない子どもと文字とのかかわりが見られました。

子どもの発達や経験に合わせて、絵本やあいうえおの積み木、カルタなどのおもちゃや保育教材を用意したり、ひらがなの五十音表や子どもたちがうたう歌の歌詞などを子どもの目の高さに貼るなど、日常の中で文字に触れる機会をつくるのもよいでしょう。ほかにも、子どもが使うものを文字で示す、子どもに提示するものに文字を添える、子どもたちと決めたことを保育者がその場で書くなどの工夫もあります。

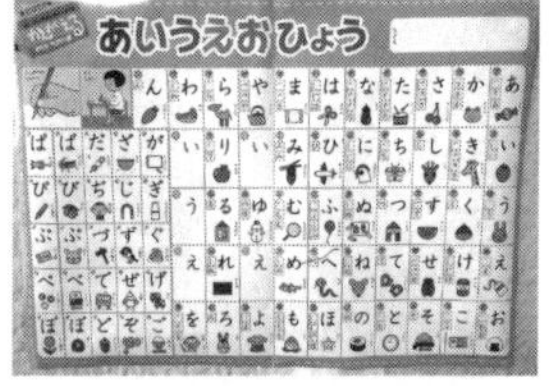

ひらがなの五十音表

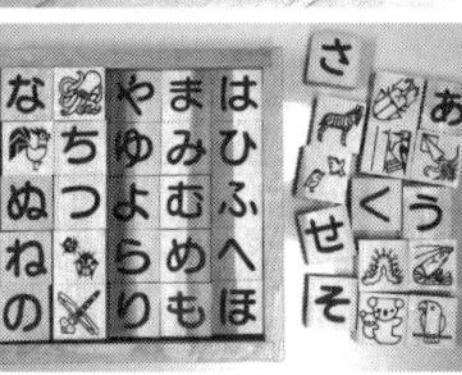

あいうえおの積み木

カルタ

文字に興味をもった子どもが保育者に読み方をたずねたり、「○○って書いて」や「どうやって書くの？」ということがあります。子どもからわき出てくる「読みたい」「書きたい」という意欲を大切にして、ていねいに応答し、タイミングをとらえて文字への取り組みを進めることができるとよいでしょう。

引き出しに書いた文字

一方、文字になかなか興味を示さない子どももいます。無理をせず、環境の工夫をしたり、友達の姿を見るなどして自分から興味をもつまで待つことも必要です。また、他児と比較して上手に書けないことを気にする子どももいます。書くこと自体

提示物に添えた文字

が楽しいと感じられるようにかかわりましょう。さらに、文字が書けない子どもが引け目を感じたり、苦手意識をもたないよう配慮することも大切です。

子どもたちと決めた「運動会の言葉」をホワイトボードにその場で書く

保育実践の Point !

● 子どもに必要な園内の標識を設定する

子どもにとってわかりやすく、自分から行動できるようにするための標識を考えましょう。ただし、過剰にならないように注意し、様子を見て外す・貼り替えるなどします。子どもが必要性を感じて標識をつくろうとする活動を認め、必要に応じた援助をしましょう。

● 安全や生活に必要な標識を理解できるようにする

園の周囲や地域にある標識に関心がもてる機会を設定し、子どもの安全や生活に必要な身近にある標識などが理解できるようにすることも大切です。

● 子どもが無理なく自然に文字を目にする機会や場をつくる

文字に関心を示す子どもの様子が見られたら、子どもの目の高さにひらがなの五十音表を貼る、歌の歌詞のポスターを掲示する、子どもたちと決めたことなどを板書する、提示物などに文字を添えるなど、生活の中で自然に文字に触れられるようにしましょう。

● 文字を書く楽しさや喜びを大切にする

文字の形が崩れていたり、鏡文字（下記 Column 参照）になっていてもすぐに指摘や修正はせず、書くことへの意欲や楽しさ、満足感や達成感を大切にして、次への意欲につながるようにします。自分で気づいたり、友達に指摘されて気づくなど、子ども自身の気づきを待ちましょう。

Column 鏡文字

鏡文字とは、文字の左右が逆になっている文字のことです。たとえば、ガラスに文字を書いてそれを裏から見ると鏡文字が見えます。文字に関心をもち、文字を書きはじめた幼児期に見られ、左右の認識の未発達から起こると考えられています。

「この字は反対だよ」「間違っているよ」などの指摘はせず、子どもが自分から文字を書こうとする意欲や、文字が書けたことの喜びを認めることが大切です。保育室の壁などに子どもの目の高さに合わせて「五十音表」を貼っておく、絵本を見たり、文字の積み木やカルタなどで遊べるようにするなどして、子どもが正しい文字に触れることができる環境や機会をさりげなく整えていきましょう。

実践 10　自分で理解して動けるような年度当初の工夫

幼稚園の４月、３歳児クラスの子どもたちははじめての園生活で、家庭とは異なる園生活独自の習慣に戸惑ったり、不安になることがあります。担任保育者がその都度ていねいに知らせたり、年長の５歳児が助けてくれることもありますが、子どもが自分の目で見て、理解して、自分から動けるように工夫している園について見てみましょう。

指導法例 10　登園後の流れを示す標識と文字（３歳児クラス）

入園当初、３歳児クラスの子どもたちが何をしたらよいのかわからず不安にならないように、登園後の流れをわかりやすく絵と文字で示している。

まず、下駄箱の自分の場所を見つけて上履きに履き替える。

① 自分の場所を見つけて上履きに履き替える

３歳児クラス下駄箱

下駄箱の標示

上履きは上の段、外靴は下の段に入れる

② 手洗い・うがい・コップかけ

入室後の流れ１

コップかけの標示

コップかけ

保育室に入ったら「手洗い」⇒「うがい」⇒「コップを袋に入れてコップかけにかける」。

③ 連絡帳を出す・鞄と帽子をロッカーへ・排泄

入室後の流れ２

ロッカー

入れるものの標示

どこの棚に何を入れるのかが絵で示されている

「連絡帳を出す」⇒「鞄と帽子をロッカーに片づける」⇒排泄したい子どもは「トイレに行く」。

※下駄箱、コップかけ、ロッカーには、自分の場所がわかるように、名前とマーク標示がある。

Point　子どもが見てわかりやすい絵や貼り絵を用いた保育者の手づくりの標識です。標識だけに頼らず、保育者は子どもの様子に合わせて見守る、言葉をかける、手伝うなどの援助をします。時間の経過とともに標示に頼らず行動できるようになるので、一人一人の子どもの様子を見て、子どもと相談しながら絵カードは適宜外すなどの配慮をしていきます。

実践 11　道路標識のおもちゃで遊ぶ

子どもたちの身のまわりにはさまざまな交通標識があります。普段は意識されることが少ない交通標識ですが、子どもが自分の身の安全を守るために知っておいてほしい交通標識もあります。おもちゃをきっかけにして道路標識に関心をもった遊びの事例を紹介します。

指導法例 11－①　子どもの関心を受け止めるかかわり（5歳児クラス）

5歳児の保育室。保育者が交通標識のおもちゃを置いておくと、T夫くんがすぐに標識であることに気づいた。そこへH也くんがやってきて、「これ一方通行。おれのうちの近くにある」といった。するとT夫くんが「これ30（制限速度30kmのこと）までしかダメなんだよね」という。2人は標識を横一列に並べて眺めたあと、知っている標識をもち、お互いに知っていることを伝え合っている。H也くんが「これ知らない」というと、T夫くんが教えることもある。2人ともわからないものがあると保育者に「先生、これ何？」とたずねてくる。保育者が「むずかしい標識、よく知っているね」というと、T夫くんはうれしそうに家族でドライブに行ったから知っていることを話してくれた。

指導法例 11－②　標識の意味の認識とルールをつくる遊びの展開（5歳児クラス）

次の日、T夫くんは誰も使っていないテーブルの上に標識を並べはじめた。テーブル一面を町に見立てて、空き箱を置いて線路に見立て「ここは線路だから踏切をつくる」「工事中の建物はここ」と、ところどころに標識を置いていく。

昨日まで興味を示さなかったD太くんが「入れて」とやって来て、お菓子の箱をもち出して、ペットボトルの蓋をタイヤにして車をつくり、「かっこいいのできた」と標識の間を縫うように走らせる。自分のイメージで町をつくりたかったT夫くんだったが、空き箱を手にしてトラックをつくった。そこへH也くんが来て、一方通行の標識をもち出し「これは一方通行。反対からきちゃダメだからね」と一方通行の意味を知らせる。「ここは『止まれ』だからちゃんと止まって」「30だからゆっくりね」と自分たちで標識に合わせたルールをつくった遊びが展開していった。

Point　保育者の特別な働きかけではなく、保育室に置かれたおもちゃがきっかけとなって、交通標識が意識されました。その後、散歩のときに標識を見つけ、ほかの子どもにも関心が広がっていきました。遊びの様子を保護者にも伝え、家庭でも交通安全に気を配るきっかけになるとよいでしょう。

実 践 12　文字の発見とお手紙ごっこ

保育の場のさまざまな場やものとかかわる中で、子どもたちは文字を目にして、次第に興味をもつようになります。文字の形を覚え、同じ文字を見つけて喜んだり、知っている文字を読んだりしながら、友達や保育者に手紙を書くまでになる過程を紹介します。

指導法例 12−① 名前への関心から文字への関心へつなげるかかわり

あみちゃん（3歳児）

名前への関心：あみちゃんは自分の名前の中に「あ」の文字があることを知っていたが、あるとき絵本の中に『あしあと』（まつおかたつひで作、ポプラ社、2000）という文字を見つけ「アーちゃんとおんなじ“あ”だ」とうれしそうに保育者に見せにきた。

保育者のかかわり：保育者が「ほんとうだ。あみちゃんの“あ”だね。よく見つけたね」と応じる。

文字への関心：あみちゃんはよりうれしそうな顔をして、ほかにもないかと絵本のほかの頁を見て同じ文字を探しはじめた。

たかやくん（4歳児）

名前への関心：たかやくんはロッカーの前に立ち、端から端まで友達の名前を見ていた。そして、自分の持ち物に書かれている「たか」という文字が、ほかの子どものロッカーにも書かれていることに気づいた。保育者に「なんて読むの？」と聞いた。

保育者のかかわり：保育者から「“たかはしくみこ”ちゃん、“いいじまたかし”くんよ」と教える。

文字への関心：たかやくんは「“たか”が一緒だ」と重大発見をしたような得意そうな表情になった。

保育者のかかわり：保育者は「よく気がついたね」と応じ、その後の帰りの会では「たかい」という言葉が出てくる絵本（いわいとしお作『100かいだてのいえ』偕成社、2008）を読んだ。

Point　この事例では、子どもが文字に気づき、文字を探したり、読み方に関心をもつ姿が見られます。保育者は子どもの発見や感動に寄り添い、一緒に驚いたり、喜んだりしながら、子どもと文字とのかかわりを支えていきます。

指導法例 12−② “お手紙ごっこ”への遊びの展開（5歳児クラス）

「先生にお手紙書く」　子どもの気持ちに寄り添った保護者の対応

夏休みになった。Y太くんは「いつからようちえん？」と母親に毎日聞いている。「早く幼稚園に行きたいの？」と母親に聞かれると「うん。だってE男くんとかG太くんとあそべないんだもん」という。そのようなとき担任保育者からはがきが届いた。Y太くんはそれを見て「先生にお手紙書く」といい、母親と郵便局に行き、はがきを買ってきた。幼稚園で遊んだことがある手型押しを思い出し、お姉ちゃんから絵の具をもらって手型を押した。何と書くか母親と相談して、文字を教えてもらいながら、一生懸命書いた。

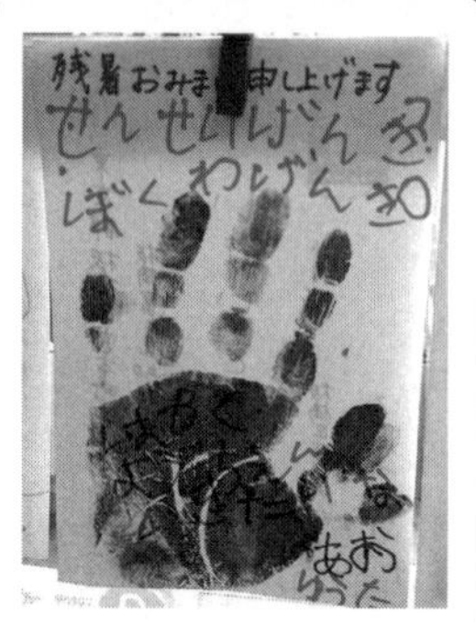

「先生、お手紙を書く紙ちょうだい」 子どもの意欲に応じる保育者のかかわり

新学期。保育者は子どもたちから届いたはがきや手紙を保育室に飾っていた。登園してきた子どもたちは自分の手紙を見つけると、うれしそうに見ている。

手紙を出さなかったＭ子ちゃんが「先生、お手紙を書く紙ちょうだい」と保育者にいった。保育者は画用紙を切ってＭ子ちゃんに渡し、同じものをほかの子どもも使えるように、箱の中に入れて「はがき」という札を貼って置いておいた。するとほかの子どもたちも次々手紙を書きはじめる。Ｅ男くんが「先生、切手ちょうだい」といってきた。「今、切手がないからこの紙でつくってね」と色画用紙の端切れが入った箱もはがきの箱の横に置いた。

「ポストがないよ」 子どもの意見を大切にした保育者のかかわり

次の日には本物らしさが感じられるように使用済みの切手をたくさん置いておいた。すると「お手紙はポストに入れるんだよね。ポストがないよ」とＵ太くん。「困ったね。ポストはないわ」と保育者。「じゃあ、つくればいいんじゃない？」とＧ太くんが提案する。保育室にあったティッシュの空き箱が差し出し口にちょうどよいことに気づいて、赤い紙を貼ってポストづくりがはじまった。エアメールを知っているＢくんが「外国に出す手紙を入れるところがない」といって箱を１つ追加した。ポストに描かれている「〒」マークと「がいこく」「にほん」の文字を書き加えて、立派なポストができた。

お手紙ごっこへの広がり 遊びに参加しにくい子どもへの保育者の援助

あまり字を書くのが得意でない子どもたちも加わり、はじめは絵を描いて、保育者に宛名を書いてもらったり、保育者が鉛筆で薄く書いた文字をなぞったりしていた。回を重ねるうちに自分の名札や友達のロッカーの名前を見たり、壁に貼ってある「あいうえお」の表を見たりして、文字は自分で書くようになっていった。

１日１回、ポストを開けてスタンプを押して配達する郵便局の人の役は、グループごとに順番にすることに決めて、お手紙ごっこがクラス全体に広がり、卒園まで続いていった。

Point この事例は、子どもが自分から意欲をもって取り組んだ活動例です。保育者は子どもの意欲を受け止めて、その都度、必要なものや場の環境を整えたり、子どもが文字を書くことへの援助をしています。保育者が出した手紙がきっかけとなって、日常生活の中で子どもたちが必要性を感じて文字への関心が広がっていきました。この園では普段から、保護者に発達に即した絵本を紹介し、子どもが文字に興味を示したときに、一緒に読んだり書いたりを楽しめるように協力を求めていました。そのこともお手紙ごっこの広がりを支えたのでしょう。

Active Learning !

1 身近にある地域の標識を探してみよう！

① 身近な地域にはどのような標識があるか、実際に歩いて自分の目で見て調べてみよう。

Hint! 探す地域（エリア）を設定しよう。

例①：通学路（自宅周辺、学校（大学・短期大学・専門学校など）周辺）

例②：実習やボランティア・アルバイト先の園の周辺（散歩コースなど）

② 標識の写真を撮る、絵を描くなどして記録しよう。

※注意　写真を撮る際には、歩行者など人が写らないように配慮する。

③ 調べた標識の意味を調べよう。

Hint! 参考：『マークのずかん』（鈴木出版、1998）、『マーク標識カード１集・２集』（くもん出版、2007）、『せいかつ絵カードずかん』（KADOKAWA、2020）、『サインとマーク』（フレーベル館、2003）ほか。

2 子どもが標識に関心をもつ遊びを考えよう！

① 子どもに知っておいてほしいと思う標識を調べてみよう（複数）。

② ①で調べた標識の中から、特に子どもに知らせたいと思う標識を１つ選んで、子どもが理解できるような説明を考えてみよう。

Hint! 例

③ 仲間の前で、子どもに伝えるように発表し合おう。

④「標識カード」をつくってみよう。

Hint! 標識の写真やイラストを用意し、厚紙に貼って「標識カード」をつくろう。⑤の「標識ゲーム」用に、同じカードを２枚つくっておくとよい。仲間（子ども）と一緒につくるのも楽しい。

⑤「標識ゲーム」のルールを考えながら「標識カード」で遊んでみよう。

Hint!

例①：「ポーズゲーム」：１つの標識につき１ポーズを決める。すべてのカードを重ねて伏せて置き、１枚ずつ表に返し、出たカードのポーズをとって遊ぶ。

例②：「おなじのどーれ？」：同じカードを２枚ずつ用意し、１枚は広げて並べ、もう１枚は重ねて伏せて置き、「同じのどーれ？」と１枚めくって同じカードを探す。

例③：「カルタ遊び」：標識の説明を書いた読み札カードをつくり、カルタとして遊ぶ。

2 子どもが文字に関心をもつ活動・教材を考えよう！

① 文字に関する遊びにはどのようなものがあるか調べてみよう。

Hint!

例①：一人でじっくり楽しむ遊び（絵本、ひらがな積み木、ほか）

例②：人と一緒に楽しむ遊び（カルタ、しりとり、なぞなぞ、ほか）

② ひらがな五十音カードをつくろう。

つくり方例：同じ大きさに切った厚紙に、ひらがな五十音を書く（貼ってもよい）。よく使いそうな文字は複数枚つくっておくとよい。裏にその文字からはじまる絵を描いてもよい（例：「あ」アメ、「い」イカなど）。

③ ひらがな五十音カードを使った遊びを考えよう。

Hint!

例①：カードを並べて自分の名前にする。

例②：カードを無作為に並べてできた文字を読んで楽しむ。

例③：カードを並べてものの名前にする。

④ 実習などで子どもとうたいたい歌の歌詞表示（ポスター）をつくろう。

つくり方例：子どもにわかりやすいようにひらがなで書く。子どもが興味をもって見ることができるように、歌詞にふさわしいイラストなどを描いてもよい。

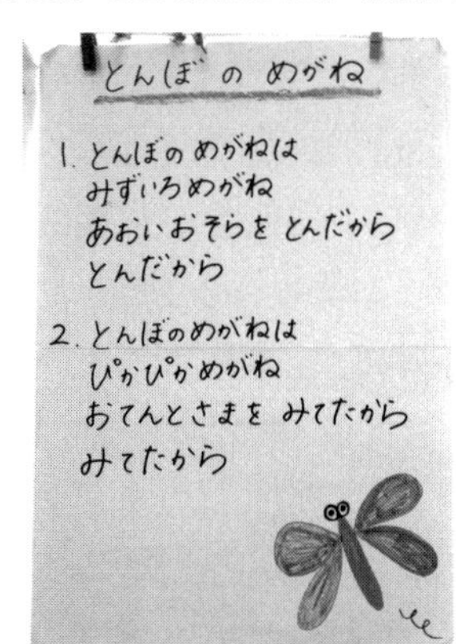

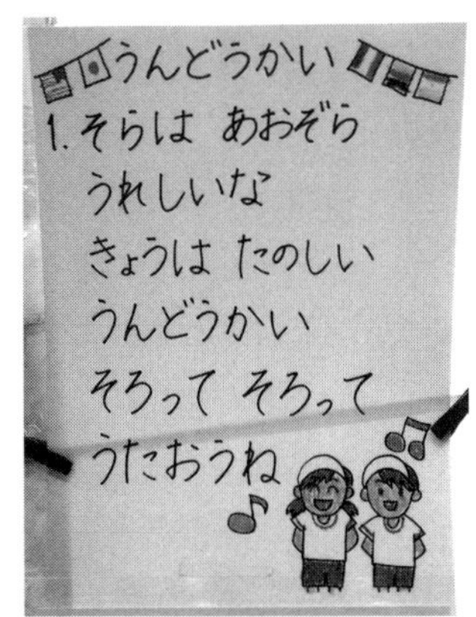

Part 2

第5章 身近な情報とのかかわりの実践について学ぼう

1．子どもの園生活と情報

子どもたちは、園生活の中でさまざまな情報に触れています。子どもたちが多くの時間を過ごす保育室は、壁面に飾られた絵やさまざまな掲示物、壁や床・カーテン・家具の色、人の動きや物音等は子どもの生活に影響を与える情報環境となっています。こうした保育室内の情報は、子どもたちの視覚や聴覚を刺激し、感性に働きかけたり、知的好奇心を高めて環境へのかかわりを引き出したりするでしょう。一方、過度な刺激は、落ち着かず子どもの情緒を不安定にもさせます。子どもが落ち着いて、心地よく生活できる保育室の環境には、こうした情報の量や質に十分配慮し、意識して整えていくことが大切です。

また、子どもたちが主体的に園生活を送るためには、子どもたちの生活に必要な情報をわかりやすく提示していくことも大切です。たとえば、その日の当番を知らせる当番表や、生活に必要な用具の置き場を示すわかりやすい表示があることで、保育者が指示を出さなくても、子どもたちは情報を得て自ら動き出すことができます。子どもたちとともに過ごす中で、必要としている情報は何かを感じ取りながら、子どもたちが主体的に生活することができるような情報を環境として用意していくことが重要です。

2．子どもの遊びと情報

子どもは家庭の中でも、絵本やテレビ、家族との会話や外出先で見聞きするもの等、身近な情報に興味をもってかかわっています。家庭の中でのこうした情報とのかかわりの経験は、ときおり園生活にももち込まれ、遊びの中で再現し、友達とのやりとりを交わす場面も見られます。情報によって子どもたちの遊びが生み出され、展開されているのです。

また、園生活での子どもたちの遊びは、さまざまな情報を必要としていることもわかります。ある園で恐竜ごっこを楽しんでいた子どもたちが、恐竜のご飯の時間に「恐竜は何を食べるの？」と保育者にたずねてきました。保育者は「何だろう？　調べてみよう」と、恐竜図鑑をもってきます。子どもたちは、図鑑を見て恐竜にはさまざまな種類があることやそれぞれ食べるものが違うことを知り、より本物らしい恐竜になろうとしっぽや羽をつくり、それぞれの恐竜に合うご飯をつくったりと、遊びがより楽しく発展していきました。

情報によって、子どもたちの遊びが生み出されたり、より楽しく遊びが展開されていきます。保育者は、子どもが取り組む遊びに必要な情報や、子どもの興味・関心を引き出す情報に触れられるよう、環境を構成することが大切です。

3．近年の子どもを取り巻く情報環境

私たちの身のまわりには実に多くの情報があふれています。新聞、雑誌、テレビ、ラジオ等のメディアに加え、現在ではITやICT機器の普及により、積極的に自ら必要な情報を得たり、情報を発信したり、さまざまな人と情報を共有することが容易で便利になりました。スマートフォンやタブレット端末等のICT機器は私たちの生活に欠かせないものとなり、子どもたちもこうした環境の中で生活をしています。

このような中、保育の中でICT機器は、どのように活用していけばよいのでしょうか。乳幼児期はあくまでも直接体験が重要であり、実体験の中で五感を使って物事を理解していくことが基本です。しかし、直接体験を重視することと、ICT機器の活用はかならずしも相反するものではありません。子ども自らが興味・関心をもったことについて、タブレット端末を用いて調べたり、タブレット端末で動画を撮影して自分たちのダンスを見合って振りつけを考えるなど、子どもたちが主体的に遊びを楽しめるようなICT機器の活用も見られます。保育者は子どもの直接体験を基本に置き、主体的な遊びの充実につながるような保育へのICT機器の活用を工夫していくことが大切になるのです。

また、子どもの保育だけではなく、出席管理や記録、指導計画等の書類作成など、業務の効率を図る上でもICT機器の活用が期待されています。業務の効率化を図ることは、子ども一人一人と向き合う時間を確保し、日々の実践の充実にもつながります。

保育実践のPoint！

● 情報の質と量をコントロールする

保育者は子どもの興味・関心、発達をとらえ、情報の質と量を考慮することが大切です。子どもが安心して心地よく過ごしながら、情報とのかかわりを楽しめるように環境を構成します。

● 子どもにとって必要な情報に触れられる環境や機会を用意する

子どもの園生活や遊びの中で、子ども自身が必要とする情報は何かをとらえ、環境を構成したり、情報に触れられる機会をつくります。

● 子どもが自ら主体的に情報を得られるようにする

情報はわかりやすく、子どもが自ら情報を得られるように、さまざまな情報ツールを活用し、工夫して環境を整えます。どのようにしたら情報を得られるのか、ともに生活する中で子どもの必要感に応じながら情報を得る手段を伝えていくことも大切です。

● 保育者や友達と情報の交流が生まれるようにする

保育者や友達とのやりとりの中で、情報を伝え合う場をつくることも大切です。情報を伝えたり、聞いたりすることを通して、友達と情報を共有することで豊かな活動が生み出されます。

実践 13　生活や遊びを豊かにする情報の環境づくり

子どもが自分たちの生活や遊びに必要な情報に触れられる環境を、保育の現場ではどのように用意しているのでしょうか。各園の環境づくりの工夫を見てみましょう。

指導法例 13−①　心地よく、外からの豊かな情報を得られる保育室（1歳児クラス）

この園は、高層マンションに取り囲まれ、車や人通りも多いところに園舎がある。

外からの情報が多すぎると子どもの生活は落ち着かなくなる。一方で、光や雨、四季に応じたさまざまな植物等、窓の外には子どもたちにとって魅力的な情報がある。そこで、園の1歳児の保育室には、大きな窓はあえて外からの情報を遮断するよう磨りガラスにし、1歳児の目線に合った小さな窓をつくって外の情報に触れられる環境をつくっている。低い位置につくられた小窓からは、光が差し込んだり、雨の降る様子が見られたり、草花や鳥、虫といった自然の様子が情報として子どもたちの目を楽しませてくれる。

1歳児の保育室：外からの刺激を取り込む小窓。天気や季節等を感じることができる。

Point　子どもたちの生活の場には落ち着いて過ごせる適度な情報量の調節と、子どもたちの生活が潤う質のよい情報の選択が重要です。園が置かれた環境の中で、心地よく豊かな生活の場としての情報の量と質が工夫された環境をつくり出しています。

指導法例 13−②　情報が交流するような環境による氷づくりの活動（5歳児クラス）

氷をつくりたい！

2月、園庭の水場にはうっすらと氷がはった。5歳児はさっそく「氷をつくりたい」と園庭中で氷づくりがはじまる。子どもたちは思い思いの容器をもってきて水を入れ、氷ができるよう準備をして氷ができるのを待った。

「氷をつくっています」の札づくり

翌日、「氷ができているかな？」と確認しに行った５歳児クラスの子どもたち。すると、氷づくりの容器がなくなっていた。前日、５歳児が置いておいた氷づくりの容器を３歳児が知らずに砂場にもっていき使ってしまったのだった。「知らなかったんだね」「仕方ないね」と、肩を落とす５歳児。今度はそうならないようにと、「みんなに氷をつくっていることを知らせよう」ということになった。そこで、「こおりつくっています」と保育者が札を置いてみた。ほかの５歳児も自分の容器が使われてしまわないようにと、保育者の札をまねて札づくりがはじまった。氷づくりよりも札づくりを楽しむ子どもたちの姿もあった。保育者や５歳児たちがつくった札を、３歳児も興味深く眺めていた。

お花の氷できるかな？

２月末、春の兆しが感じられるようになった。保育室には、「春を見つけたよ」「いいにおいがするよ」と園庭に咲く草花が保育者によって飾られていた。早速気づいて、「きれい」「いいにおい」とかかわる子どもたち。ここ数日、氷づくりをしていなかったＣ美ちゃんが「このお花で氷をつくりたい」と氷づくりを再開した。園庭に咲く好きな花を見つけてきて、水と一緒に花も入れて「氷になるかな」「お花の氷できるかな？」と楽しみにするＣ美ちゃんの姿がある。その様子に、「私も」とＤ奈ちゃんも参加する。見よう見まねで、Ｄ奈ちゃんも花の氷づくりをするが、花の色や置き方にひと工夫が見られる。

お花の氷ができた！

翌日、見事に花の氷ができた。保育者が園庭にできた花氷を飾る。きれいな花氷に気づいた子どもたちが「わたしも」「ぼくも」と花の氷づくりに参加する。氷と花、冬と春を楽しむ子どもたちだった。

Point　子ども同士、保育者と子どもとで、情報が交流するような環境づくりが工夫されています。５歳児は、情報の伝え方も保育者の姿から学び取っています。情報を伝えることが、自分たちの生活や遊びを円滑にしたり、情報を得ることが楽しい遊びをつくったりする経験を通して、情報の必要性を感じ取っています。

実践 14　おもしろいと感じた情報を友達や保育者と伝え合う

子どもたちは、自分が見たり聞いたりした情報を友達や保育者と楽しく伝え合います。また、子どもたちが必要な情報を集めることで活動を豊かに展開していきます。子どもたちが情報を伝え合ったり、調べたりすることを保育者はどう支えているのか見ていきましょう。

指導法例 14　必要な情報を調べることを支える ── ICT 機器の活用（5 歳児クラス）

● 子どもたちの様子

お正月が明け、幼稚園がはじまった。子どもたちは、冬休みに家庭で経験してきたことを伝え合っている。A 男くんが、「いなかでね、芋の子汁を食べたんだよ」と保育者や周囲の子どもたちに話をしている。「おいしかったんだよ。園のみんなで食べたいな」とつぶやいた。「芋の子汁ってなに？」「わたしも食べてみたい」と話が盛り上がり、園でつくって食べようということになった。

A 男くんは、芋の子汁の絵を描いて、仲間に芋の子汁を伝えようとしている。大きなお鍋をみんなで囲んで楽しかった様子が絵から伝わってくる。「どうやってつくるの？」と、J 介くんの質問に、「G 子おばちゃんに聞けばわかるよ」と A 男くん。山形県にいる G 子さんに、芋の子汁のつくり方を教えてもらいたいという思いが高まっていった。

● 山形の G 子さんにオンラインインタビュー ── 芋の子汁のレシピを教えてもらおう

<table>
<tr><td colspan="3">＜ねらい＞　自分たちに必要な情報を集める楽しさを味わう
＜内　容＞　芋の子汁のレシピを調べる</td></tr>
<tr><td colspan="3">＜前　日＞　インタビューの打ち合わせをする
・子ども同士での話し合いを重視する
・子ども一人一人の意見を大切にできる雰囲気を心がける
・G 子さんに聞きたいことを子ども同士で出し合えるようにする
・聞きたいことを、わかりやすく文字と絵でホワイトボードにメモをする→質問票を作成する
・当日のインタビューの役割分担や順番を話し合う→どのような役割が必要か子ども同士で考える
・聞きたいこと、役割分担を帰りの会でクラス全体に確認し、共有する</td></tr>
<tr><th>当日の流れ</th><th>保育者の援助・配慮</th><td rowspan="2">＜質問票＞
しつもんひょう
・ざいりょうはなんですか
・どうやってつくりますか
・おいしくつくるひけつはなんですか

＜環境構成＞
スクリーン
ホワイトボード
子
保
パソコン、Web カメラ
プロジェクター
子ども

＊椅子を並べる。
＊質問票、ハンドマイク、ホワイトボードを用意する。
＊パソコン、Web カメラ、プロジェクター、スクリーンを設置する。</td></tr>
<tr><td>10:15 準備

10:30 G 子さんとオンラインでつなぐ
10:40 インタビュー</td><td>・準備を子ども同士で行えるようにする。
・質問内容、役割分担を子どもと確認する。
・G 子さんと親しみがもてるよう、紹介・あいさつをする。
・インタビューは、子どもたちが決めた役割分担（司会、質問者、記録者）で自分たちで進めていけるようにする。
・記録は、子どもの要求に応じて手助けをする。
・聞きたいことを全部聞けたか、確認する。
・感謝の気持ちを G 子さんに伝えられるようにする。</td></tr>
</table>

● 芋の子汁パーティーをしよう

つくり方をG子さんに実演つきで教えてもらい、芋の子汁をつくりたい気持ちが高まってきた。A男くんのたくさんの人で大きな鍋を囲んで食べるイメージが伝わり、3・4歳児や保護者を招いて「芋の子汁パーティー」をすることになった。

レシピカードを作成！

G子さんに教えてもらった芋の子汁のつくり方を、「わすれないように」と、J介くん、C吾くん、D也くんがレシピカードを作成した。みんなにわかるようにと、絵や文字を使って工夫している。

買い物に行こう

芋の子汁に必要な材料を買いに行く。作成したレシピカードでもう一度確認し、買うものをメモに書きとめた。「どれくらい必要なの？」と、買う直前になって分量を考えていなかったことに気づいた……。お店の人に相談し、何とか買うことができた。

どんなパーティーにしたい？

パーティーといっても子どもたちのイメージはいろいろである。いろいろ話し合って、やはりA男くんが描いた芋の子汁の絵にあるように、「園庭で大きなお鍋を出してやろう！」と決まった。

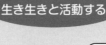

調べた情報を生かして生き生きと活動する

招待状づくり

「招待状もなくっちゃね！」と、つくりはじめる子どもたち。できた招待状をもって、3歳児クラス、4歳児クラスへ誘いに行く。

おいしいね

普段は食べないにんじんも、「おいしいね」と食べている。「これが芋の子汁！」とA男くんの思いが伝わった。

芋の子汁って、いろいろ？　もっと調べてみよう！

芋の子汁の鍋を囲みながら、保護者たちが「私の田舎の芋の子汁には鶏肉が入っているの」、「私のところは豚肉よ」と話していた。園でつくったのは牛肉だ。J介くんは、「芋の子汁にはいろいろあるね」と気づいた。そこから、「もっと芋の子汁を調べてみよう」と、今度は保護者たちにインタビューがはじまった。地域によって食べるものが違うことに気づき、子どもたちの関心はさらに深まっていく。

Point　子どもたちのまわりにはたくさんの情報があります。そして、おもしろいと感じた情報を友達や保育者と伝え合い、そこから活動が生まれ広がっていきます。また、もっと知りたいという思いが、自ら情報を調べることにつながっています。情報を得たり、調べたりすることの楽しさ、その情報を使って展開する活動の楽しさが伝わってきます。子どもたちが情報を得る手段はさまざまありますが、近年ではICT機器もその一つとして活用することができます。

Active Learning !

1 子どもたちの園生活や遊びに必要な情報を考えてみよう！

① 園生活の一日の流れを具体的に確認しよう。

Hint! 保育原理、保育内容、実習等のテキストや授業での学びを参照しよう。

② 子どもたちが必要としている情報、子どもたちに知らせたい情報を考えよう。

Hint! 生活の各場面で、どのような情報を子どもたちは必要としているか考えよう。

例①：登園場面　「今日のお当番は誰？」→当番が誰かを知りたい。

例②：遊び場面　動物に興味をもって“にゃんにゃん”と言葉にしている（1歳児）」→いろんな生き物やその名前を知らせたい。

③ 子どもたちが必要な情報に触れられる環境づくりを②で出された意見の中から一つ選び考えてみよう。

Hint! どのような環境をつくると、子どもたちに情報を伝えることができるかを考えよう。

例①：子どもにわかりやすい当番表をつくり、当番で何をするかもわかりやすく示しておこう。

例②：動物の写真カードを作成し、壁面に貼っておこう。

④ 考えた環境を実際につくり、プレゼンテーションしよう。

Hint! 考えた実際の環境をつくってみよう。どのようなところを工夫したかを整理し、発表してみよう。

2 地域にはどのような情報があるか調べてみよう！

① 地域にどのような「情報に触れられる場や施設」があるか調べてみよう。

Hint! 調べる地域（拠点となる場所）を設定しよう。

例①：自分の住んでいる家

例②：通っている学校（大学・短期大学・専門学校など）

例③：実習やボランティアなど、自分のかかわりのある園など自由に設定

Hint! どうしたら調べることができるか考えてみよう。

Step1：地図を開いてみる（図書館にある地図やウェブの地図検索を活用）。

Step2：自治体のホームページを見てみる。

Step3：地域を歩いてみる。

Step4：「情報に触れられる場や施設」を見つけたら基本情報をまとめる（表参照）。

	場や施設	情報の内容	備考
1	○○市立博物館	・恐竜の化石や骨が展示されている ・恐竜の食べ物等、生態を知ることができる	月曜日休館 園から徒歩 15 分 幼児は入園料無料

● **留意点：**写真を撮る際は、施設の人に目的を説明した上で許可を必ず取る。

② 調べた「情報に触れられる場や施設」を「お散歩マップ―地域の情報とのかかわり」などと題して作成してみよう。

Hint! ①で調べたことをもとに、子どもたちと地域の情報に触れることのできるスポットを示して作成してみよう。

● **用意するもの：**模造紙、マジックなど

③ 作成したお散歩マップを掲示するなどし仲間と共有しよう。

Hint! 仲間の作成したお散歩マップを見て、情報に触れられる場や施設にはどのようなところがあるのか、仲間のマップから学び合おう。

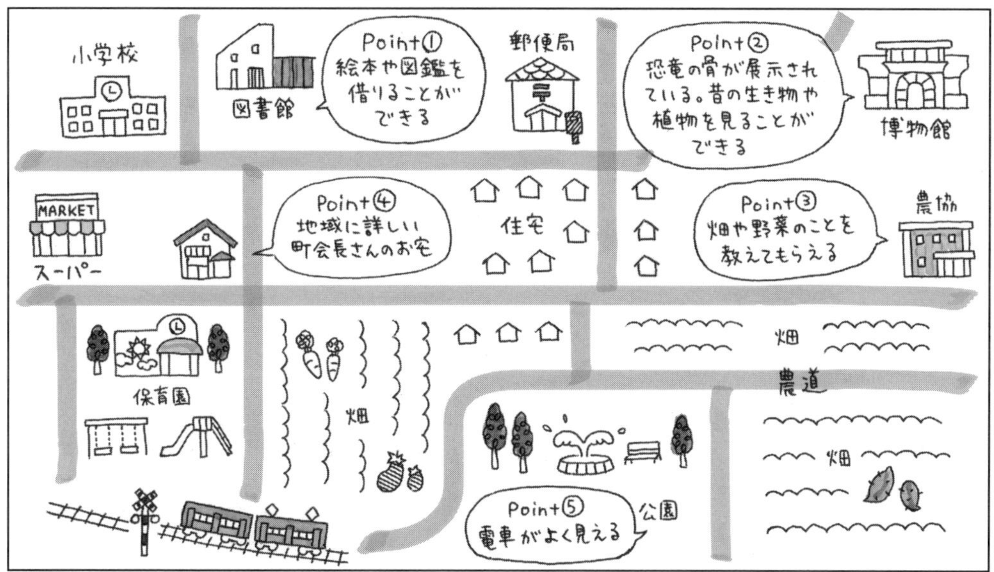

3 地域の情報を生かした園外保育を構想してみよう！

① 2 で作成した「お散歩マップ」の情報から、地域の情報を生かした園外保育の内容を考え話し合ってみよう。

Hint! 子どもの年齢や具体的な内容をイメージして考えてみよう。

Step1：子どもの年齢を想定する→子どもの発達、興味・関心をとらえる。

Step2：「ねらい」と「内容」を決め、具体的な活動内容を考える。

Step3：場所を決める（どこに行くか、ルートを決める）。

Step4：準備するもの、援助の留意点を考える。

② 考えたことや話し合ったことをもとに指導計画を作成しよう。

Hint! 学校で用意されている指導案用紙などを使用して作成しよう。

③ 立案した園外保育の指導計画をプレゼンテーションしよう。

Hint! レジュメの作成はパソコンのソフトなどを活用して、視覚的にもわかりやすく工夫してみよう。

第6章 身近な施設・地域、さまざまな文化とのかかわりの実践について学ぼう

1．地域の施設・人々とのかかわり

日本では、地域社会のかかわりの希薄さが深刻化しています。また子どもたちにとっては、きょうだい数の減少と核家族化により、異年齢の子どもと遊ぶ機会、高齢者等にかかわる機会、つまり異世代の人との交流の機会が減っています。こうした状況を踏まえ、子どもたちが多様な人とかかわる機会を用意したいものですが、園内だけで経験できる交流は限られています。そこで、地域社会の資源に目を向け、連携し活用していくことで、子どもの活動の幅が広がっていくとともに、社会性を養うきっかけともなっていけるのです。

たとえば、月1回の避難訓練に、近くの消防署の人と一緒に訓練をすることもできるでしょう。その後、勤労感謝の日に子どもたちが消防署を訪れ、勤労感謝のお手紙を渡したり、その御礼に消防車に乗せてもらうなど、互いの交流が継続していく園もあります。また、何も特別なことをしなくても、子どもたちが毎日散歩する同じ時間に、同じように散歩中の犬を連れている近所の人に会い、毎日会って、あいさつを交わしていくうちに、顔見知りになるということもあります。その顔見知りになった人が、たまたま園芸に詳しく、園庭にある畑の野菜づくりを教えに来てもらうことになったというような話を聞くことも実は少なくないのです。

ほかにも意図的に社会とかかわる機会をもつよう、園外保育で商業施設や遊園地に行き、電車に乗る、買い物をするなど、身近な社会の影響を受けて遊びが生まれ、その遊びを通して友達とイメージを共有して、かかわりが深まっていくような経験もできます。

また、地域の中で園が果たす役割もあります。幼稚園や保育所、認定こども園には、地域の子育て家庭に対して専門性を生かした子育て支援を積極的に行い、地域における子育て力の向上に貢献していくことが求められているのです。

子どもは地域のつながりの中で育っていくものであり、地域の人とのかかわりは、自分たちの住む地域に対して親しみをもつきっかけにもなります。そして園生活においては、家庭での生活だけでは経験しにくい地域の人との触れ合いを通して、さまざまな世代や立場など、地域にいる多様な人の存在を知り、親しみを感じることができる機会をつくっていくことが重要です。保育者は、地域の資源を把握して、連携をとっていくことが大事なのです。

2．さまざまな文化とのかかわり

日本にはたくさんの伝統や文化があります。長い歴史をかけて育んできた伝統や文化についてのすばらしさに気づくことは大切なことです。保育の中では、園生活で親しんだ伝統的な遊びを、家族や地域の人と一緒に楽しむ体験ができるようにします。

たとえば、コマ回しや、あやとり、お手玉などを保育室に用意します。子どもたちは時間を見つけては練習するようになります。友達と教え合う姿や、本を見ながら自分でいろいろ試している姿などが見られます。そのうち、家でも練習するようになり、家族から新しい技やコツを教えてもらって、できるようになる子どももいるのです。伝統や文化は、祖父母から父母へ、父母から子どもたちへと、代々受け継がれていく要素も大きいのです。しかし、近年では父母が伝統や文化にあまり触れていないこともあります。そういった場合は、保育参観などで、子どもと一緒に取り組む機会をもつこともよいでしょう。夏祭りの盆踊り、お祭りの太鼓やお神輿なども園で興味や関心をもったことを、地域の活動の中で地域の人々と一緒に体験し、地域で体験したことを園や家庭で披露することもあるでしょう。

このように、なるべく社会とのつながりの中で、地域社会の伝統や文化に触れ、園での活動や生活が豊かになるようにすることが望ましいのです。また、わらべうた、昔話などの中にも季節の文化に触れることができるものもありますので活用するとよいでしょう。

日本の伝統や文化に親しむと同時に、現在の国際化社会において、日本以外の多様な文化に触れる機会も増えています。保育においても、多様な文化を背景にもつ家庭の子どもの割合が増え、食事、行事などさまざまな活動で工夫や配慮が必要となってきました。子どもたちにとっては、多様な文化に触れることで、国際理解の意識が芽生えるようにしていきたいものです。

保育実践の Point !

● **地域社会の資源に目を向け、連携し活用していく**

子どもは地域の中で育ちます。まず、保育者が地域社会の資源を把握して、地域の施設と連携することや、地域の人々とのかかわりを継続していくことが大事です。

● **意図的に社会とかかわる機会をもつようにする**

さまざまな公共の施設を利用したり、訪問したりする機会を設け、施設がみんなのものであり、大切にしなくてはいけないということも伝えることで公共心の芽生えにもなります。

● **日本の伝統や文化を知りそのよさに気づけるようにする**

社会とのつながりの中で、地域社会の伝統や文化に気づき、園での活動や生活が豊かになるようにすることが望ましいです。

● **多様な文化があることに気づき理解を深めることができるようにする**

多様な文化に触れ、国際理解の意識の芽生えとなるようにしていきましょう。

実 践 15 身近な施設や近隣の人とのかかわり

子どもたちが地域の施設とどのようなかかわりをもっているのか、一つの施設に特別養護老人ホーム、養護老人ホーム、認可保育所が併設されている施設での高齢者と子どもたちの交流と、近隣の小学校３年生と５歳児の交流について見ていきます。

指導法例 15−① 子どもと高齢者の日々の交流における援助

● 交流のきっかけ

この施設は養老院と保育所を別々で運営していたが、高齢者だけで生活するより子どもと一緒に過ごすことで自分の役割に気づけること、子どもも高齢者と過ごすことで多くの大人に受け止めてもらえるという考えから、子どもと高齢者の総合型施設として運営するようになった。

● 施設の特徴　1F：保育所　2F：養護老人ホーム　3F：特別養護老人ホーム

● 朝の交流の場面

時間	子どもの姿	高齢者の姿
10：00	◎体操の時間 ・１歳児から４歳児までの園児が、園庭に集まる。 ・園庭で思い思いに体を動かす。 ・落ち着いて過ごせるおばあちゃんに背中をぴったりくっつけて気持ちを安定させている。	◎体操の時間 ・希望者のみ園庭に集まる。 ・車椅子で参加する人がいる。 ・杖をつきながらゆっくり集まる人がいる。
10：30	◎体操をする ・元気に体操する。 ・高齢者から離れず、一緒に過ごす。 ・好きな高齢者のところに行ってハグをする。 ◎マラソンをする ・高齢者の応援を背にマラソンに取り組む。	◎体操をする ・リズムを取りながら子どもたちと一緒に体を動かす。 ・子どもたちとハグをして交流する。 ◎マラソンの応援をする ・子どもたちのマラソンコースに、個々で分散して立ち、拍手をしながら「がんばれ〜」と応援する。 ・体操だけで施設に戻る人もいる。

● 交流での子どもの姿と育ち

最初は戸惑う子どもたちも、毎日顔を合わせている中で自然に高齢者とのかかわりを受け入れていく。次第に親しみをもつ高齢者もでき、送迎の際に母親と離れるのがさみしくても親しみをもつ高齢者といると安心して過ごせたりする。普段の遊びでも、子どものほうから高齢者とこの遊びを一緒にやりたいと提案したり、子どもの園生活に高齢者の存在が含まれていることが感じられる。

● 保育者の思い

園での高齢者とのかかわりを経て、子どもたちには卒園後も町などで困っている高齢者を見かけたら声をかけるなど、地域の力になってほしいと思う。

Point 子どもが高齢者と交流する際には互いに無理強いをしないことと年齢と内容のマッチングが大切です。たとえば５歳児と高齢者で一緒に体を動かす遊びはむずかしいですが、高齢者のゆったりしたペースは、０〜１歳児だと安定します。また、子どもに、「おじいちゃん、おばあちゃんと一緒にやるからここは気をつけようね」などかかわる上での留意点を伝えて、怪我や危険のないように配慮することも大切です。

指導法例 15–② 小学校との連携 ―「まつ3タイム」（5歳児クラス）

「まつ3タイム」とは、園の5歳児クラス（まつ組）と近隣の小学校3年生との交流プログラムである。5歳児が小学校に入学する際、お世話するのに年齢差のちょうどよい小学校3年生とでこの交流を実施している。基本的には、5歳児が小学校に行き一緒に活動を行う。

交流① 物語をつくろう（6月中旬～）
物語のテーマ：「夏休みにしたいこと」
※交流の頻度は月に約1回程度。各グループの3年生に1人リーダーを設ける。
<1回目：6月中旬>自己紹介・導入
①お互いの自己紹介
②物語づくりの説明
③グループ分け（5歳児、小学校3年生を各6グループに分け、合同のグループをつくる）
<2回目：6月下旬>製作活動
①テーマに沿った絵を描く（5歳児にもでき、小学校3年生にも楽しめる削り絵やスクラッチアートで絵を仕上げる）。
②物語をつくる（一人でも共同で描いてもよく、3年生のリーダーを中心に一緒につくる）。
<3回目：7月中旬>発表会
・各グループの発表（園、小学校で掲示する）

交流② 合同発表会（9月下旬～）
テーマ：「わらべうた」
※保護者に向けた発表会前に子どもだけの発表会を行う。5歳児は小学校3年生と合同で行う。
<1回目：9月下旬>導入
①グループ分けと3年生のリーダー決め
②グループに分かれてどの「わらべうた」にするか決める。
<2回目：10月中旬>合唱の練習
<3回目：12月上旬>発表会

交流③ 交流給食（2月上旬）
テーマ：給食を一緒に食べる
※5歳児が小学校の給食に苦手意識をもたないように、園で人気のあるメニューが好ましく、「カレーライス」にすることが多い。
①小学校3年生が自分のエスコートする5歳児を園に迎えにきて、小学校に一緒に移動する。
②小学校の教室では3年生が給食を置くランチョンマットを作成して、そこに子どもの名前を書いて座る場所がわかるように準備している。
③最後に小学校3年生が「しょうがっこうでまっているよ」と書いたメダルを渡してくれる。

交流④ 卒園式（3月下旬）
テーマ：花道
①ホールで卒園式が終了して、クラスに戻り担任保育者の話を聞く。
②保護者と手をつなぎ、クラスから玄関まで出ていく廊下に、小学校3年生が花道をつくり送り出してくれる。

● **交流の留意点**

小学校の教員との連携が何より大事である。プログラム内容について詳細を打ち合わせ、何をするか、事前準備が必要なことを共有し、園で事前に子どもたちに導入をしてから、小学校に行って一緒に活動をすることで、子どもたちも不安なく活動に取り組め楽しめるようになる。

● **交流の効果**

① 小学生に対してあこがれの感情をもち、小学校に行くことを楽しみにするようになる。
② 小学校の先生や教室を知ることで、恐怖心が和らぎ就学がスムーズになる。
③ 小学校の先生や小学生と顔見知りになることで、プログラム以外でも自然に交流が生まれる。

Point 5歳児が卒園し、小学校に入学したとき、小学校に親しいお兄さんお姉さんがいることは、安心して通える一つの材料になります。ほかにも、「5・5交流」といい、小学校5年生と園の5歳児が交流するところもあります。5歳児が小学校1年生になったとき、小学校5年生は6年生となるため入学した小学校1年生は、小学校6年生からお世話になることが多いことを考慮した交流となっています。どのような交流をするかは内容や目的によって検討する必要があります。また、これらの交流は保育者と小学校の教員にとっても互いの教育について知るよい機会となります。

実践 16　日々の保育からつながる地域の人とのかかわり

日々の生活の中で、地域の人と子どもたちがどのような場面でかかわり、関係を深めていくか、保育者はどのように地域の人と連携をとっているかについて紹介します。

指導法例 16−①　地域の人が参加する「ハロウィン」イベント（1・2 歳児クラス）

準備　4 月に開園したばかりの保育所で 10 月にはじめての 1 〜 2 歳児合同での親子イベント「ハロウィン」を実施することになった。子どもの散歩コースにある花屋さんは、近隣の人が集まる場所である。子どもたちが散歩で通ると、「いってらっしゃい」「おかえり」など、日ごろから声をかけてくれていた。保育者は今回のイベントで、子どもたちが地域の人から受け入れられている様子を保護者に見てもらいたい、そして子どもたちにも園とは直接関係のない、地域の人との交流をもちたいと考え、花屋さんと事前に相談をし協力してもらった。

親子イベント「ハロウィン」当日

① **登園**　子どもたちは仮装して登園する。

② **手遊び「あくしゅでこんにちは」**
開園したばかりで顔を知らない親子が多いことから自己紹介を兼ねて実施をする。

③ **散歩（地域の人とのかかわり①）**
いつもの散歩コースを保護者と一緒に歩く。子どもたちが仮装して歩いていると、いつもの花屋のおばさんや、近所の人から、「あら、かわいいわね」「ハロウィンね」などと声がかかる。保護者も子どもたちが普段歩く道、出会う人々、地域の様子を体験的に知ることができる。

④ **公園に到着**
しばらく思い思いに過ごす。その後、ゲームやリズム体操を楽しむ。
- 「よーいどん」：保護者のところまで「よーいどん」で向かう。
- 「リズム体操」：「できるかな？ あたまのさきからつまさきまで」を保護者と一緒に楽しむ。

⑤ **宝さがし ── 手づくりパズルのピースを探せ！**
公園内にあらかじめ隠しておいた手づくりパズルのピースを探す。

⑥ **トリックオアトリート「お菓子ください！」（地域の人とのかかわり②）**
帰り道に花屋さんに寄る。「“トリックオアトリート”“お菓子ください！”っていってごらん？」と保育者。うまくいえない子どもを保護者がフォローしながら、「お菓子ください！」という。花屋のおばさんは、事前に園からお願いしておいたスナック菓子を一人一人に「はい。どうぞ」とていねいに渡してくれる。「みんな、かわいいね」「今日はお父さん、お母さんと一緒でうれしいね」などと声をかけてくれる。すると「これはおばちゃんから」と、棒つきキャンディを子どもと保育者の分を用意してくれておりいただく。

⑦ **集合写真**　園で記念の集合写真を撮る。

⑧ **食事・順次解散**
園で用意したサンドイッチや唐揚げなどの軽食をとりながら、貴重な交流の機会となっていた。その後、順次解散となる。

実施して　これを機に、子どもたちにとって花屋さんは身近な存在になり、保護者もその花屋さんを利用するようになったりと関係性ができていった。行事での協力を通してできたつながりは、園と地域だけではなく地域の人と人をつなぐ役割にもなった。園にとっても、その花屋さんを通して地域の情報を得ることができ、日々の保育にも役立っている。

Point 園の外に出ていく散歩は近所の人と顔見知りになる絶好の機会です。子どもは地域の中で育ちます。保育者も積極的にあいさつやコミュニケーションを取り、保育に加わってもらいましょう。保育に加わってもらうときには事前に綿密な打ち合わせをしておく必要があります。また、昔からその地域に住んでいる人は、その地域に詳しいため、継続的な関係をもつことで、保育の幅が広がっていくでしょう。

指導法例 16－② 地域の人との継続的な交流（5歳児クラス）

この幼稚園では月１回、外部の人を呼んで絵本の読み聞かせの会がある。今年は、幼稚園の地域に住む 75 歳の元小学校の女性教師のＹ田さんに読み聞かせをお願いすることにした。

子どもたちは月１回のこの日を楽しみにしている。特にＳ乃ちゃんはとても楽しみにしていた。Ｙ田さんが到着すると「今日は何を読んでくれるの？」とＹ田さんから離れない。Ｙ田さんも、この日のために、どの本を読もうか、家にある娘が好きだった本や、図書館で本を借りてきて、読む練習もして準備をしてくれていた。月に１度の交流ではあったが、子どもたちもＹ田さんも同じ地域に住んでおり、読み聞かせの会以外でも顔を合わせることもあり、子どもたちはＹ田さんの顔を見ると「あ、絵本のおばちゃんだ」「また、来てね」「今度はいつ来るの？」など日常的に会話を交わしている。

３月、絵本の読み聞かせの会の最後の日を前に、Ｓ乃ちゃんから、「絵本のおばちゃんにお手紙書きたい」と提案があった。保育者はＳ乃ちゃんだけでなく、全員で手紙を書くことを提案し、絵本の読み聞かせの会の最終日にＹ田さんに全員でお手紙を渡して御礼をいった。

幼稚園の月に１回の絵本の読み聞かせの会はこれで終了したが、小学生となった子どももＹ田さんも、変わらず同じ地域に住んでいる。そして、集団下校をするようになったＳ乃ちゃんは、Ｙ田さんと顔を合わせることもあり「あ、絵本のおばちゃん。まだ幼稚園に絵本の読み聞かせ行っているの？」「私は、小学生になったから、もう幼稚園行かないよ」などと会話を交わしている。幼稚園での読み聞かせをしてくれる人としての関係はおわったが、地域に住む者同士、Ｓ乃ちゃんとＹ田さんのかかわりは継続している。

Ｙ田さんも、子どもたちに絵本を読むことで、練習することや緊張感をもって過ごす時間があって、生活に張りが出るとのことであった。もらったお手紙もうれしくてときどき読み返しているそうだ。その後の交流でも、登下校時に子どもたちから「絵本のおばちゃん」と声をかけられることもうれしく、「あ、今日も元気にしているな」とか「大きくなったな」とか感じて楽しいと話してくれた。

Point 子どもにとって、さまざまな人々との出会いは、貴重な交流の場ですが、人間関係が希薄な現代においては、子どもだけではなく、地域の高齢者等すべての人にとって貴重な交流の場となります。互いにかかわりが豊かなものとなるようにすることが大切です。

実践17 さまざまな国の文化や日本の文化とのかかわり

現在、日本の保育施設でもさまざまな国籍の子どもが在籍することはめずらしくありません。多様な文化を生活の中で子どもたちにどのように伝えていくかということと、日本の伝統的な文化を子どもたちが生活に取り入れることで展開した遊びを紹介していきます。

指導法例17－① 食文化の違いを子ども自身が理解できる援助（3歳児クラス）

● 子どもの姿

この園の昼食は、お弁当持参と給食利用の選択制でどちらでも自由に選択できるが、ほとんどの子どもが給食を利用している。Rくんは、イギリスから来たばかりで日本語もほとんどわからない。Rくんは最初、給食を利用していたが、口に合わずほとんど食べ残していた。そこで保護者と相談し、お弁当を持参することにした。昼食時、Rくんがお弁当のフタをあけた瞬間、となりのA斗くんが「何？　これお弁当？」と驚いている。Rくんのお弁当は、サンドイッチケースにマフィン1個とリンゴが入っていた。おやつに食べるマフィンに似ていたのだ。

A斗くんもそのことに気がつき「先生。Rくんのお弁当、おやつが入っているよ」という。保育者はA斗くんに「Rくんの国では、お昼ご飯にマフィンを食べることもあるのよ」と説明した。A斗くんは少し納得できないような表情をして自分の席に座って給食を食べた。

翌日も、Rくんは、お弁当を持参した。この日は、ライ麦パンでジャムが挟んであるサンドイッチが一切れとぶどうが入っていた。A斗くんは、「先生、Rくんのお弁当……」と、毎日、自分の想像していないお弁当に不思議そうである。ほかの子どもたちも同様に理解ができないような表情をしていた。Rくんも何をいわれているのかよくわからないため不安そうだ。

● 保育者のかかわり

そこで保育者は、『世界えじてん』（パイインターナショナル、2015）、『世界の国と地域ずかん』（ほるぷ出版、2018）、『世界の国大百科』（JTBパブリッシング、2019）などの、世界の文化や特色がひと目でわかる絵本や図鑑などを準備した。そして降園前の時間にその中の1冊の本を紹介し、国にはそれぞれに違った「国旗」というものがあることや、国によって「言葉」や「気温」、日本の着物のような「衣装」や「食事」が違うことを話した。

● その後の子どもたちの姿

その次の日のRくんのお弁当は、ホットドッグが1個とリンゴだった。A斗くんはそれを見て、「おいしそうだね。これがRくんのお弁当なんだよね」と笑顔で話しかけていた。Rくんも、言葉はわからなくても、A斗くんの表情を見て、受け入れてもらえたことを感じたようで、微笑み返していた。これを機会に、子どもたちは、食べ物だけではなく、それぞれの国のあいさつを覚えていい合う姿や、国旗についても関心をもち、国旗当てクイズや国旗を描く活動などに広がり、国際理解の意識の芽生えにつながっていった。

Point 異なる文化的背景をもつ子どもにとって、生活習慣の違いは大きな負担です。その中でも食事は大きな課題となります。園全体として多様な文化への理解を深め、個別で対応していく必要があります。また、一つの出来事から、子どもの興味・関心を広げ、深めていけるように環境を整え援助していくことも大切なことです。

指導法例 17－② 「コマ回し大会」の経験から広がる遊び（5歳児クラス）

この園でのクリスマスプレゼントは「コマ」にしている。子どもたちには日本の正月遊びとしてコマ回しを紹介し、年明けには「コマ回し大会」が恒例となっている。「コマ回し大会」は一番長くコマを回せた人の勝ちで、子どもたちは、毎日練習を重ねていた。冬休みも家で練習し張り切る様子が見られた。

「コマ回し大会」から広がる遊び

「コマ回し大会」当日

クラス全員参加で５人グループに分かれ一番勝ち残った人同士で決勝戦を実施する。３回ほど実施し、その後は自由にコマ回しを楽しんだ。グループ対抗戦にすることで、仲間を応援することや負けることで一緒に悔しんだりした。うまく回せない子どもや失敗した子どもも、一緒に楽しめるようルールを決定した。

コマ回しの技「手乗せ」に挑戦

F介くん

コマ回しが得意で大会でも優勝していたＦ介くんは父親から、コマを手の上で回す「手乗せ」を教えてもらったといい練習をする。ほかの男児も、むずかしそうな技に惹かれ、一生懸命技の練習をする。

新たな技「綱渡り」に挑戦

F介くん　B斗くん

Ｆ介くんと一緒に練習していたＢ斗くんが、おじいちゃんから、コマを紐の上で回す「綱渡り」を教えてもらったといい、新しい技を紹介して練習をはじめる。Ｆ介くんも「むずかしいなぁ」といいつつ一緒に練習をする。

自分だけのコマをつくりたい

L吾くん　C郎くん

Ｌ吾くんは、自分でコマがつくれないか保育者に相談にくる。保育者は段ボール、厚紙、竹串、爪楊枝、色ペン、クレヨン、目打ち、○の型、ハサミを用意して、コマ製作コーナーをホールに用意する。Ｌ吾くんのほか、Ｃ郎くんもコマ製作をはじめる。

よく回るコマづくり

L吾くん

Ｌ吾くんは厚紙でつくったり、厚紙を複数重ねたり、段ボールにしたり、丸の大きさを変えたり、竹串の長さを変えたり、よく回るコマに仕上げるために試行錯誤する。

模様を楽しむコマづくり

C郎くん

Ｃ郎くんは、つくったコマに描いた模様が、回ると違った形に見えることに興味をもち、色を変える、１色にしてみる、模様を変えてみる、描くものを変えるなど、いろいろ試しながら、回したときの模様を楽しむ。

コマのショーごっこ

U菜ちゃん　女児５名

歌番組が好きなＵ菜ちゃんは、ホールのステージに立ち、ダンスをおどっているが、その途中でおもむろにコマを回しはじめる。Ｕ菜ちゃんが、保育者のところへ来て、CDプレイヤーと運動会でおどったCDを貸してという。保育者はホールにもっていくと、Ｕ菜ちゃんをはじめとした、女児５人が、ホールのステージで「コマのショーやるの」といって、音楽をかけながらおどり、コマを回している。

「コマのショー」へご招待

U菜ちゃん　女児５名

運動会の経験をもとに、自分たちでプログラムと招待状を考えてつくり、３歳児、４歳児クラスに配り「コマのショー」に招待して披露する。

Point　このコマ回し大会の経験から、その後の子どもがコマにもつ興味・関心はそれぞれです。経験したことをそれぞれが主体的に自分の生活に取り入れられるよう、さまざまな展開を想定して援助していくことが大切です。またほかの子どもがコマでどのような遊びをしているか紹介したり、場所を共有することで、子どものコマに対する関心も続き豊かな経験となるでしょう。

Active Learning！

1 地域資源を調べてみよう！

① 自宅周辺の施設やそこで働く人や地域に住むさまざまな人材を調べ一覧表を作成してみよう。

Hint!

	施設	働く人や仕事内容等
1	病院	医者（病気や怪我の治療）、看護師（看護および治療補助）、検査技師（検査を行う）、薬剤師（薬を処方する）
2	図書館	図書館司書（読みたい本を探してくれる、絵本の読み聞かせ、本の整理）
3	商店街	パン屋、八百屋、駄菓子屋（食べ物やお菓子を売っている）
4	消防署	消防士（火事や急病のときに助けてくれる）

② 調べた地域資源（施設や人材）で、保育の中で活用できる資源はないか、またどのように活用したらよいか、仲間同士で意見交換しよう。

Hint! 例　図書館：図書館司書による絵本の読み聞かせ
商店街：商店街で買い物体験をして、お店屋さんごっこ
消防署：消防士の消火のデモンストレーション後、消防車に乗せてもらう

2 地域資源を保育に活用しよう！

① 地域資源を保育に活用した部分指導計画を立案しよう。

Hint! たとえば、年賀状に触れ、手紙を書くことやポストに投函すると手紙が届くことなどに関心がある場合、地域にある郵便局を見学させてもらい、郵便局で働いている人の仕事や役割について理解する。子どもの関心が高まることで、郵便に必要なものをつくったり郵便局ごっこがはじまる。

Hint! 例　郵便局ごっこに必要なものをつくるときの部分指導計画の一例（一部）

<table>
<tr><td>日時</td><td colspan="2">○○○○　年　11　月　○　日</td><td>5歳児クラス（ばら組）
19名（男児10名　女児9名）</td></tr>
<tr><td colspan="4"><子どもの姿>　・お正月に年賀状のやりとりがあることを知り関心をもっている。
・カルタ遊びなどを通して、文字に触れる機会が増えている。
・就学を前にして文字に対して関心をもっている。</td></tr>
<tr><td colspan="4"><ねらい>　・目的を共有し、一緒につくり上げる楽しさを味わう。
・役割分担を行い、責任をもって取り組む。</td></tr>
<tr><td colspan="4"><内容>　・郵便局ごっこを楽しむ。
・必要なものを工夫しながらつくり、郵便の仕組みや仕事を理解する。</td></tr>
<tr><td>時間</td><td>環境構成</td><td>予想される子どもの姿</td><td>保育者の援助と留意点</td></tr>
<tr><td>10：00</td><td><準備するもの>
・大きさの違う段ボール複数
・画用紙（赤）
・はさみ
・カッター</td><td>○ポストをつくる
・段ボールに赤い画用紙を貼る。
・投函するポストの口をハサミで切ろうとするが、うまくいかない。
・入れた手紙を回収することに気づき、取り出し口の場所の位置をどこにするか相談する。</td><td>・子どもが製作するのを見守りつつ、できないところなどは、アイディアを出して子どもたちが、自分で工夫して解決できるように援助する。
・ハサミ、カッターなどの扱いで危険がないように子どもではむずかしいところは援助する。</td></tr>
</table>

② 地域資源を活用した園外保育の計画を立ててみよう。

Hint! 子どもたちに園外でどのようなことを経験してほしいか考える。対象とする子どもの年齢・季節なども考慮する。

Hint! 計画立案の手順を考える。

Step1： 公共施設の場所を考える→水族館、屋内遊戯施設など。

Step2： 公共交通機関の利用の仕方を考える→バス、電車など。

Step3： 自分の家を園に見立て、家からのルートで安全なルートを考える。

Step4： 訪問した施設で子どもたちがどのような体験（見学や活動など）をするのかを考える。

Step5： 準備物を考える→園外での活動のため、救急用品や携帯電話など緊急時にも対応できるように準備する。

3 さまざまな文化について調べてみよう！

① 自分の住んでいる地域の文化について調べてみよう。

Hint! 衣食住に関するもの（季節によって身につけるもの、地域によって異なる食事（雑煮の具の違いなど）や伝統食、住居の工夫など）、子育てに関するもの（祖父母や近隣の人との協力の仕方や地域独自の子育て方法、昔からの伝承など）。

② 自分の好きなもしくは興味のある外国を一つ選び、その国の文化について調べてみよう。

Hint! 世界遺産、料理、美術館や建造物、気候、あいさつや言語、国旗、盛んな農業、通貨、アーティスト、衣装、踊り、山、川などの自然、伝統的に受け継がれているもの、生活様式などについて調べてまとめてみよう。イラストや写真も使い、ほかの人が見てすぐわかるようにまとめよう。

③ 調べた文化を仲間と共有して、それぞれの国の違いを比較してみよう。

Hint! **Step1：** 比較するカテゴリーを決める。

Step2： カテゴリー１つに対して、A4 用紙１枚にそれぞれの国の文化をイラストつき（色つき）で記入する。

④ ③で作成した資料を使い、それぞれの国の文化の違いを生かして、保育に活用できることを考えよう。

Hint! **例** 料理：① 試食会をする。
② 給食のメニューに加えてみる。
衣装：① 民族衣装をつくる。
② 民族衣装を着て、ファッションショークイズをする。
言語：① カルタづくりを行う。
② あいさつに外国語を取り入れてみる。
国旗：① 運動会の万国旗づくりを行う。
② 国旗当てクイズをする。

第7章 行事とのかかわりの実践について学ぼう

1．保育における行事の意義

日本にはさまざまな行事があり、園でも多くの行事が行われています。では保育における行事にはどのような意義があるのでしょうか。

たとえば伝承的な行事であれば、子どもたちが日本の伝統や文化を学ぶ機会になります。四季の変化に合わせ、自然の恵みへの感謝、健康や子どもの成長を願うものでもあります。また、運動会や発表会などでは、クラスのみんなで力を合わせ協力することの大切さを知ります。そして、自分ががんばってきたことを披露して、周囲の人に喜んでもらうことや、ほめてもらうことで、達成感や満足感を味わいます。そのほか、遠足や誕生会はいつもと違う特別な日で、ワクワクとした気持ちで過ごし、日常生活に変化と潤いを与えてくれます。行事を経験したあとの子どもたちの姿に成長を感じることも多くあります。

2．保育における行事の種類

園で行われる行事を本書では大きく3つに分けて紹介していきます。まず1つ目は、日本における伝統的な行事で、伝承行事とも呼ばれる、お正月、節分、ひな祭りなどのことです。そして2つ目は、社会的行事と呼ばれ、虫歯予防デー、勤労感謝の日などのことです。3つ目は、園で実施されている行事、たとえば、運動会、遠足、誕生会、発表会などのことを園行事として解説していきます。

（1）伝承行事

伝承行事には、由来などに込められている人々の願いなどがあります。保育者がまず、由来などに興味・関心をもち、正しい理解をしていく必要があります。次頁の図表7-1に主な伝承行事とその由来についてまとめましたので、確認しておきましょう。

また、伝承行事に合わせてお正月のコマ回しや、凧揚げのように、日本の伝統的な遊びに親しむ機会にもなります。園には、伝統や文化、伝承行事を園で体験して、次世代に引き継いでいく役割があるということを忘れてはいけません。

	伝承行事		社会的行事
	行事名	由来	
4月	花まつり：8日	釈迦の誕生を祝う行事。花を飾ったお堂の中にお釈迦様をまつり、甘茶をかけるなどの祭りが行われる。	・春の交通安全運動
5月	端午の節句：5日	元々は男の子の成長を祝う日。子どもの人格を重んじ、子どもの幸福を図るとともに、母に感謝する国民の休日となっている。 この節句は、こいのぼりを立て、かぶとを飾りかしわ餅を食べる。これには一つ一つ意味合いがある。	・こどもの日 ・母の日
6月	衣替え：1日	6月1日と10月1日に行われる。もとは宮中行事として旧暦の4月1日と10月1日に行われていた。当時は衣服だけでなく、家具も替えていた。明治期に入って現在の時期になったといわれる。	・虫歯予防デー ・時の記念日 ・父の日
7月	七夕：7日	五節句の一つで「七夕の節句」。天の川によって離ればなれになっている織姫（織女星）と彦星（牽牛星）が一年に一度、出会うことができる、日本と中国の文化が融合してできた伝説として有名。笹に願いを書いた短冊を飾りつける。もともとは書や学問の上達を願った。	・山開き、海開き ・海の日
8月	お盆：15日	祖先の霊を祀る期間行事。祖先の霊は13日に迎え火を焚いてお迎えし、14日～15日に供養を行い、16日に送り出す日程が一般的。旧暦では7月だが、現在は新暦の8月に行われる地域が多い。	・山の日 ・終戦記念日
9月	十五夜：満月の日	中秋の名月が見られる日。旧暦の8月15日に観月の宴（平安時代）を行っていた。当時、8月は一番月が美しく見えるといわれていたが、現在は新暦の9月の満月の日を十五夜と認識することが多く、美しいお月さまを見ながらススキやお団子を飾り秋の収穫に感謝する。	・敬老の日 ・動物愛護週間
10月	十日夜（亥の子）：10日	刈り入れのおわったあとの収穫祭。西日本では、10月の亥の日、亥の刻（午後9～11時）に亥の子（祭り）、東日本では10月10日を十日夜（とうかんや）といい、田の神に感謝し、ぼた餅や焼き餅などを供えて食べる。	・スポーツの日 ・ハロウィン
11月	七五三：15日	3・5・7歳のときに氏神（地元の神社）へ参拝する習わし。由来は諸説あるが、3歳男児および女児の「髪置（髪を伸ばしはじめる）」、5歳男児の「袴着（袴を身につける）」、7歳女児の「帯解（付け帯を取り、帯を締める）」の3つの儀式が定着したものといわれている。	・文化の日 ・勤労感謝の日
12月	冬至：22日頃	北半球で昼中（日の出から日没）の時間がもっとも短い日。古代では冬至が1年のはじまりとされていたといわれる。柚子湯に入ったり、かぼちゃを食べると、風邪を引かないなどの厄除けがあるとされる。寒い冬を無事に乗り越えるという願いが込められている。	・障害者の日 ・世界人権デー
	クリスマス：25日	クリスマスはイエス・キリストの生誕を祝う日。モミの木など常緑針葉樹を飾り、ケーキや七面鳥で祝う。気持ちを込めてプレゼントを贈る愛の日として子どもや恋人、親へ贈り物をすることが多い。	
1月	お正月：1日	各暦の年初のことで、旧年が無事におわり新年を祝う行事である。正月飾りをして年神さまへの感謝を表した。また、お雑煮やおせち料理を食べたりして祝う。「正月」は旧暦1月の別名である。	・成人の日
	鏡開き：11日頃	正月に神（年神）や仏に供えた鏡餅を下げて食べる行事。供えられた餅をお汁粉などにして食べることで、神仏に感謝し、無病息災などを祈るとされている。	
2月	節分：3日	節分は「季節を分ける」ことを意味しており、立春の前日を指している。鬼（役の人）へ向けて「鬼は外、福は内」というかけ声とともに福豆を撒き、邪気を払う方法が多い（地方によって異なる）。年齢の数の福豆を食べるが、1粒多く食べると無病息災に過ごせるといわれている。また、恵方巻きを食べたりするなど、地域によっていろいろな風習がある。	・バレンタインデー
3月	ひな祭り：3日	五節句の一つで女の子の健やかな成長を祝う。「上巳（じょうし）の節句」とも呼ばれ、ひな人形を飾り、ひなあられや菱餅を供える。その起源には諸説があり、平安時代、紙を人型に切った型で体を祓い、海や川に流す行事が元といわれている。桃の節句とも呼ばれる。桃は聖なる木とされていることからそう呼ばれるようになった。	・耳の日

図表 7-1　主な伝承行事と社会的行事

園長のあいさつ研究会編『園長のあいさつ―保育場面の実例から学ぶ話し方』わかば社、2013、p.166 ～ 177 および萌文書林編集部編『子どもに伝えたい年中行事・記念日（新版）』萌文書林、2015、髙橋司・塩野マリ『年中行事なるほどBOOK』ひかりのくに、2007 より筆者作成

（2）社会的行事

社会的行事は、季節や生活の伝承とは関係なく社会で行われている行事で、前頁の図表7-1に示したようなものがあります。「母の日」「敬老の日」「勤労感謝の日」などは、身近な人や、自分のお世話をしてくれている人や、生活を支えてくれている人がいることに気づき、その人への感謝の気持ちをもつこと、感謝の気持ちを伝えることなどから、人のことを思う気持ちの芽生えにもつながるような働きかけができるとよいでしょう。また、「時の記念日」「文化の日」「虫歯予防デー」のように何かを記念するあるいはそれにちなんだ行事と、「春の交通安全運動」「動物愛護週間」のように啓発的な意味合いで国民に意識してもらおうとしてできた行事もあります。保育に全部取り入れるかは別ですが、きちんとした意味合いを伝えられるようにしましょう。

（3）園行事

園行事は、入園式、卒園式、遠足、誕生会、運動会など、さまざまな行事があります。またそのほかにも、仏教系の園であれば「花まつり」が行われたり、キリスト教系の園であれば「クリスマス礼拝」がおごそかな雰囲気で行われたりします。園行事は園の保育理念や方針に基づいて計画されており、園によっての特色も出てきます。図表7-2にはその一例を示しましたので確認しておきましょう。「※」印のついている行事が宗教的な行事になります。ただ、行事のときにだけ宗教的な要素を取り入れているのではなく、お祈りや神様への感謝の気持ちを表すことは、日々の保育の生活の中にも取り入れられていることです。

	A園（認定こども園）	B園（仏教系保育所）	C園（キリスト教系幼稚園）
4月	・入園式	・入園式 ・花まつり※	・入園式 ・イースター※
5月	・こどもの日の集い ・親子遠足	・親子遠足	・こどもの日 ・親子遠足
6月	・プールはじめ ・保育参観	・プール開き ・保育参観	・花の日※ ・参観日
7月	・七夕の集い	・七夕祭り	・七夕祭りの集い ・夕涼み会 ・お泊まり会
8月	・縁日ごっこ ・お泊まり保育	・夏祭り	・夏期保育
9月	・お月見	・運動会 ・避難訓練	・敬老の日の集い
10月	・運動会 ・遠足	・いも掘り ・さつまいもパーティー ・お泊まり保育	・運動会 ・いも掘り遠足
11月	・焼きいも ・発表会	・秋の遠足	・収穫感謝礼拝※ ・収穫感謝祭※
12月	・お楽しみ会 ・餅つき	・餅つき ・成道会（浄土宗）※	・アドベント※ ・クリスマス礼拝※
1月	・鏡開き	・鏡開き※	・餅つき大会
2月	・豆まき ・お別れ遠足	・涅槃会（浄土宗）※ ・節分 ・生活発表会	・豆まきの集い
3月	・ひな祭り ・修了式	・ひな祭り ・お別れ園外保育 ・修了式	・ひな祭りの集い ・お別れ会 ・卒園式

「※」は宗教的な行事。図表には記載していないが「誕生会」「健康診断」「避難訓練」「保育参観」などの行事は各園、毎月ないしは定期的に行っている。

図表7-2　各園で行われる園行事の一例

3．保育における行事の留意点

伝承行事や社会的行事、園行事を保育の中で行う際、どのようなことに留意すべきか確認していきましょう。

伝承行事や社会的行事には、その行事が行われるようになった由来などがあります。しかしながら、近年、伝承行事などの本来の意味が薄れ、イベント化してきている行事も多く見られます。保育の中でこれらの行事を行う際には、保育者自身がきちんとその行事の意味合いを理解し、伝統や文化を子どもたちに伝えながら園で体験していくことが重要です。そのことが、伝統や文化を次世代に引き継いでいくことになるのです。

園行事では、特に運動会や発表会など、保育者主導で実施し、できばえや数多くこなすことを追求してしまい、子どもが練習に追われてしまう状況も見受けられます。行事は保護者に子どもの成長を見てもらうよい機会ではありますが、保護者に見せるためだけのものではありません。あくまでも日々の保育を基盤として、その延長に行事があり、子どもの育ちを喜び合う場です。子どもの興味・関心を大切にし、保護者も一緒に行事に参加したり楽しめるような内容となるようにしたいものです。子どもの負担にならないように、実施する行事の数や内容を検討し、日々の保育の中で取り組んできたものをそのまま見てもらえるような内容にしましょう。

Column　家族形態の多様化による行事実施への配慮

母子家庭や父子家庭などのひとり親家庭や外国にルーツをもつ家庭、ステップファミリーなど、近年、家族形態が多様化しています。ステップファミリーとは、子どものいる人が再婚することによって、血縁関係のない親子関係や兄弟姉妹関係を含む家族形態のことをいいます。

このように多様な家族形態から、行事を行う際もさまざまな配慮が必要です。「母の日」や「父の日」などは父母と限定せずに「ファミリーデー」として行う、行事で子どもが製作するプレゼントなども誰が受け取ってもよいように対象者を限定しないなど、さまざまな配慮を行う園も多くなってきています。そのため、行事を行うに当たっては、どのような行事を行うかなどを事前に保護者と話し合ったり、また日ごろから多様な家族の形態があることを子どもたちに伝えることも大切になります。

保育実践の Point !

● 日本の伝統や文化、伝承行事について正しく理解する

日本の伝統や文化を継承していく役割を園が担っているということを意識し、行事の由来や意味を保育者が正しく理解しましょう。

● 特別なことを取り入れ、行事のための活動にならないようにする

日常の生活が主体です。保護者や観客を意識してできばえや、成果を重視した内容にするのではなく、日々の保育の中で取り組んできたことをそのまま見てもらえるような内容でプログラムを考えるとよいでしょう。

● 子どもの負担にならないようにする

「行事の数が多すぎる」「保護者や観客を意識しすぎてむずかしいことを押しつけている」など、子どもの負担になっていないか確認しましょう。

実践 18　低年齢児も参加する伝承行事へのかかわり

一年に一度しかないことが多い伝承行事に対して、その一度で子どもたちが正しい意味を理解するのはむずかしいことです。そのため、低年齢児のときから、高年齢児と一緒に参加して、生活の体験を重ねていくことで理解が深まっていきます。低年齢児の伝承行事についてのかかわりを見ていきましょう。

指導法例 18　0～5歳児が参加する「鏡開き」への保育者の思い

● 子どもの姿

今日は鏡開き。昨日の降園前に保育者は「明日は鏡開きがあります」、そして給食に「おしるこ」が出ると伝えておいた。T郎くん（2歳児）は「鏡開き」が何のことかはわからないのだが、お正月に「おしるこ」は食べた経験があり、楽しみにしていた。また、園内に入ってすぐのホールで何か人が慌ただしく動いている様子から、今日はいつもと違う何かがあるということを感じ取っていた。

朝の遊びがおわったころに、ホールへ移動する。いよいよ鏡開きだ。目の前には鏡餅が置かれている。保育者は鏡餅の説明をはじめる。「鏡餅は年神さまへのお供え物であること」「一番上にのっているみかんみたいなものは、実は橙（だいだい）で、“代々栄えるように願っている”」「そして、お正月に年神さまにお供えしていた鏡餅を食べるのが今日の鏡開きであること」「1年間元気に過ごせますようにという意味があり食べること」「そして、年神さまは包丁を嫌うから、木槌で割り、縁起がよいように「開く」ということ」の話をした。

そして5歳児が木槌をもって何度も何度もたたくが、全然割れない。最後は保育者、園長とみんなで順番に割っていき、鏡割りは終了した。T郎くんは自分もやってみたくてしょうがない様子だったが、それは叶わなかった。

● この行事に対する保育者の思い

2歳児がこの説明を聞いて理解できていることは少ないと思う。しかし、0歳、1歳が保育室に先に帰っても、時間的に話を聞くことができる2歳児は全部説明を聞き、鏡餅を割るところまで見ている。理解していないとしても、T郎くんが「木槌でたたきたい」と思ったこと、一生懸命たたく姿を見たこと、こういった経験をするのと、しないのでは大きく違うだろう。今は、わからなくても、2歳で経験したことが積み重なり、来年、再来年と毎年同じことを見聞きし、体験していくことで、行事で行っていることと意味を正しく理解し知識としても覚えるようになっていくだろう。

Point　伝承行事には、その由来や意味があります。まず保育者が正しく行事を理解して子どもたちに伝えていくことが大切です。乳児（0・1・2歳児）クラスが幼児（3・4・5歳児）クラスと一緒に伝承行事に参加するには、生活リズムが異なるので行事の開始時間に気をつけること、乳児クラスの子どもたちが集中できる時間内で参加することなどを考慮する必要があります。

実践 19　自発的に取り組む社会的行事へのかかわり

社会的行事は家庭で行うことが少ないため、園で積極的に取り入れ伝えていけるとよいでしょう。子どもが社会の一員であり、社会とのつながりが継続し広がるように計画し、子どもの気持ちを考慮し、押しつけの行事にならないよう進めていきましょう。

指導法例 19　**子どもの自発的な思いを大切にした保育者の援助（5歳児クラス）**

「勤労感謝の日」が近づいてきたため、保育者は子どもたちにもうすぐ「勤労感謝の日」という日があることや、その日は働いている人に感謝する日であることを伝えた。そして、「いつも園でお世話になっている人は誰かな？」と子どもたちに問いかけてみた。すると、子どもたちからは「用務員の○○さん」「消防士さん」、「パン屋さん」「ケーキ屋さん」「先生」などの声があがった。保育者は「お世話になっている人に“ありがとう”って伝えるにはどうしたらいい？」と聞くと、子どもたちから「プレゼントする」という声があがった。そこで保育者は「それいいね。今日は勤労感謝のプレゼントづくりをしよう」と伝えた。子どもたちと話し合った結果、日ごろから避難訓練でお世話になっている消防署と誕生会にケーキを焼いてくれるケーキ屋さん、給食のパンを焼いてくれているパン屋さんにプレゼントを届けることとなり、そのためのプレゼントづくりの活動がはじまった。

＜落ち葉のステンドグラス＞

材料：黒い画用紙、セロハンテープ、落ち葉（事前に保育の中で拾っておく）、ハサミ、鉛筆、クレヨン

つくり方：黒い画用紙に、ハサミで切り穴をあけ、穴のあいたところに落ち葉をセロハンテープで貼る。

① 画用紙に鉛筆で切りたい形を書く。半分に折った状態で描くと切り抜きやすい。

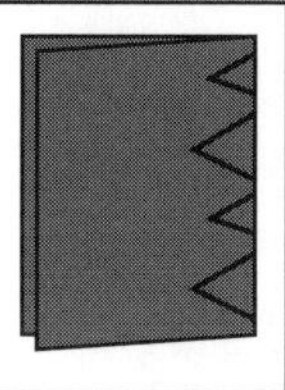

② ハサミで切り抜く。

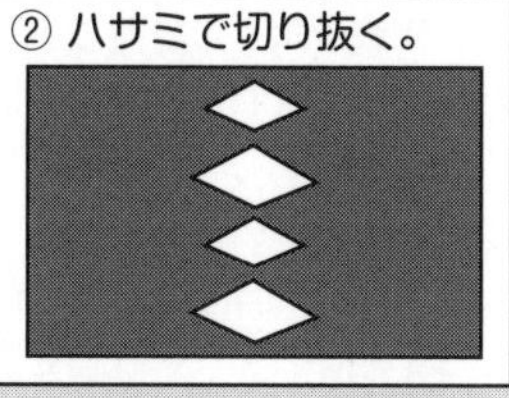

③ 落ち葉をセロハンテープで貼る。

④ 裏返して、クレヨンで感謝の気持ちのメッセージを書いて、できあがり。

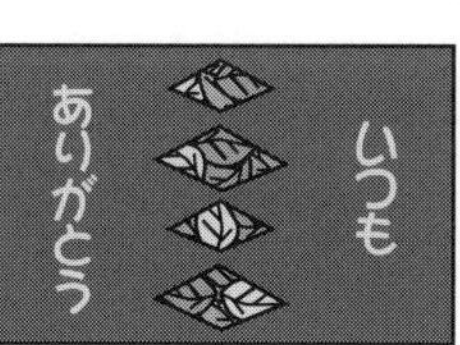

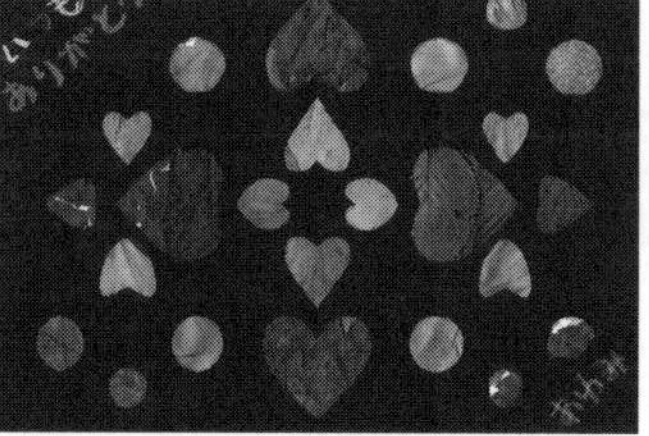

つくったプレゼントは園外保育として、消防署、ケーキ屋、パン屋の順で届けに行った。子どもたちは消防署で本物の大きな消防車を見てあこがれ、ケーキ屋では、厨房の中を少し見せてもらうことができ、大興奮の一日となった。

Point　保育者は子どもたちから、「お世話になっている人にありがとう」という気持ちをもってほしいと願い、子どもから声があがるのを待った上でプレゼントづくりの製作活動を行っています。プレゼントを渡しに行く際には、思いがけないこともありますが、それらも許容し、子どもたちと一緒に活動をつくり上げていくようにしましょう。また、プレゼントを渡しに行く際は、訪問する先の都合をうかがうなど、事前に十分な打ち合わせを行っておくことも大切です。

実践 20 日々の保育からつなげる園行事のあり方

運動会、発表会などの園行事は子どもにとっても保護者にとっても特別に感じる日ではありますが、その過程はあくまで日々の保育の活動が基本にあります。保護者の期待や、園の特色としてアピールするようなすばらしいものを追求するのではなく、子どもの姿を見つめ、日々の保育の先に行事があるように計画して進めていきましょう。

指導法例 20 日常の保育を運動会のプログラムに生かす（5歳児クラス）

園の園行事に対する考え

・行事のためだけでなく、毎日の保育をつなげることが大事である。そのため、日々の子どもの姿をとらえておくことが大切である。
・子どもが主役となるような行事とし、普段の保育の延長であることを大切にする（特別なイベントとしてとらえない）。
・子どもたちが達成感を味わえる行事とする。
・保護者に保育の成果や子どもの成長を実感してもらえるような行事とする。

年間指導計画における「運動会」

子どもの姿

・昨年度から、雨などで園庭で活動ができないとき、ホールに設置した巧技台の昇り降りを楽しんでいた。
・大縄跳びが好きな子どもが多く、園庭やホールで遊ぶ子どもたちが多い。
・地域の人が剣道やサッカーを教えに来てくれているが、いつも同じ子どもばかりが遊んでいる様子が見られる。

保育者の思い

・日常的に楽しんでいる体を使った巧技台の昇り降りや大縄跳びを運動会などのプログラムに取り入れて、保護者にも見てもらいたい。また、練習をすることで「もっとできるようになる」という達成感を子どもたちに味わってもらいたい。
・地域の人が教えてくれている剣道やサッカーなど、まだ興味・関心の少ない子どもたちにも楽しんでもらえるようにしたい。

日常の保育の中での援助と子どもの姿

保育者の援助

・雨の日など、戸外での活動ができない日は4月から、巧技台をホールに設置しておく。
・巧技台は最初は低い段からはじめることができるように環境を設定する（4月4段、5月6段、6月7段、9月8段と月間指導計画にも取り入れる）。
・大縄跳びでは、いつも跳んで遊ぶことが多いため、くぐったり走り抜けたり、ほかの遊び方もあることを伝え、今までと異なる遊び方でも楽しめるよう配慮する。
・地域の人が教えてくれる剣道やサッカーをゲームに取り入れたり、製作などの活動につなげたりしてみる。
・それぞれの活動が保育者主導とならないよう子どもの興味・関心を大切にし、また遊びが偏ってあきてしまわないよう配慮する。
・興味があってもなかなか遊びに入れない子どもには保育者も一緒に楽しむようにする。

子どもの姿

<巧技台>

低い段からはじめたことによって、苦手だった子どもも積極的に挑戦する姿が見られた。できない子どもに「がんばれ～」と応援する子どもの姿も多くあった。

<剣道>

地域の人が月に１回ボランティアで「面打ち」を教えに来てくれる。楽しみにしている子どもと少し怖がったりして、苦手意識をもっている子どももいた。そこで、剣道の竹刀を新聞紙でつくる製作を提案するなどした。すると、竹刀だけではなくお面をつくる活動に広がり、教えてもらった「面打ち」を楽しむ様子も見られた。

<大縄跳び>

保育者も遊びに入り、大縄を跳ぶだけではなく、縄に引っかからないようくぐったり、波打つ縄を飛び越えたりする遊びを提案すると、跳ぶ、くぐる、飛び越えるといったさまざまな跳び方を連続させて遊ぶ姿が見られるようになった。

<サッカー>

小学校のサッカーのコーチが月に１回教えに来てくれる。サッカー経験のある子どもに遊びが集中していたが、シュートの数を競うゲームを行ったところ、ゲームに勝とうと、経験がある子どもが苦手な子どもにシュートを教えるなどの姿が見られるようになった。

子どもとともにつくる「運動会」のプログラムづくり

子どもたちに今年の運動会で、やってみたいことについて聞いてみた。「巧技台の昇り降り！」「サッカーのシュート！」「剣道がいい～！」など、日常に行っていた遊びがあがった。すると、L男くんが「それ、全部やりたいね～。そうだ全部つなげてサーキットみたいにやろうよ！」という。「それがいい！」とクラスのみんなもやる気だ。

そこで、今年の運動会には、「明日へのステップ！　サーキット」と題して、「①巧技台８段昇り降り→②剣道面打ち→③サッカーシュート→④大縄・走り抜け」をプログラムに入れることにした。

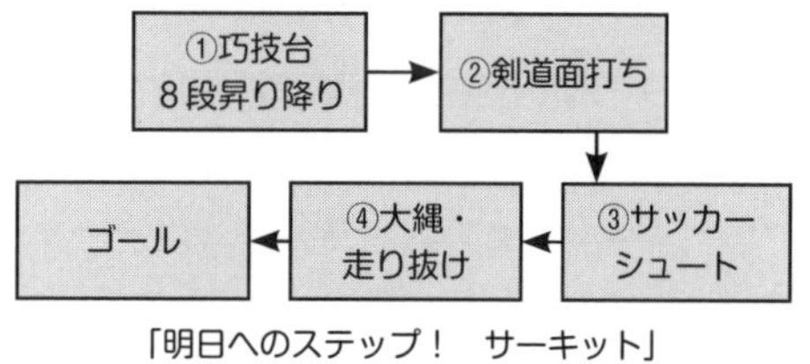

「明日へのステップ！　サーキット」

「運動会」

みんなで決めた運動会で行う「サーキット」に向けて、子どもたちは意欲的に練習に取り組んでいった。保護者にも日々の様子をお便りや連絡帳で伝えていった。

運動会当日。がんばった成果を自信に満ちた表情で楽しんで取り組む子どもたちの姿があった。

Point　５歳くらいになると、クラスでの話し合いもできるようになり、運動会や発表会でしたいことなどを自分たちで決めていくということもできるようになっていきます。子どもの意見も取り入れつつ、達成感が得られるよう保育者もさまざまな工夫や援助をしていくことが大事です。また、日常の保育の延長に行事があるということを意識することで、行事の内容に無理が生じず、子どもにとって負担の少ない活動となります。また、保護者にお便りなどで練習の様子を伝えておくことで、結果や見栄えではない子どもの努力と成長のプロセスを感じてもらうことができるでしょう。

Active Learning！

1 日本の伝承行事について調べてみよう！

① 日本の伝承行事にはどのようなものがあるか調べてみよう。

Hint! **Step1：**本書 p.123 に掲載されている日本の伝承行事を確認し、そのほかにどのようなものがあるか調べてみる。例）「八十八夜」「人日の節句（七草がゆ）」「彼岸」など。

Step2：関心のある行事の中から３つ、その行事の由来や意味合い、どのようなことをする風習があるかなどを調べる。

② グループに分かれ、調べた行事から一つ選び、その説明をペープサートを使って５歳児が理解できるように考えてみよう！

Hint! **Step1：**どのように行事について説明をするのか、登場人物やストーリーを考える。むずかしい言葉は簡単な言葉に置き換え、短くまとめるようにする。

Step2：つくったストーリーに合わせて、ペープサートをつくる。

Step3：つくったペープサートを実践して、わかりにくいところがないか確認し修正などを行う。

③ グループごとに、行事の説明のペープサートを実践してみよう。

Hint! 各グループのペープサートを見て、５歳児が理解できないような説明があればまとめておこう。また、どのような説明に修正すれば５歳児にも理解ができるのか意見交換をしよう。

2 伝承遊びや正月遊びについて調べてみよう！

① 興味・関心のある伝承遊びや正月遊びについて３つ調べよう。

Hint! **Step1：**仲間と知っている伝承遊びや正月遊びを出し合う。例）「花いちもんめ」「竹馬」「福笑い」など。

Step2：選んだ遊びの由来などを調べる。

Step3：選んだ遊びの遊び方を調べる。

② 調べた遊びについて発表しよう。

Hint! 遊び方などが違うものがあれば、なぜ異なるのか（地域や時代の違いなど）などを考えてみよう。

③ 調べた伝承遊びを保育の中に取り入れる際の留意点などについて、意見交換をしよう。

Hint! 取り入れる遊びの対象年齢や時期などを考えてみよう。
遊びの由来の伝え方などを考えてみよう。

3 社会的行事について調べてみよう！

① 日本の社会的行事にはどのようなものがあるか調べてみよう。

Hint! Step1：本書 p.123 に掲載されている日本の社会的行事を確認し、そのほかにどのようなものがあるか調べてみる。例）「エイプリルフール」「メーデー」「鉄道記念日」など。

Step2：関心のある行事の中から３つ、その行事の意味合いやその日にどのようなこと（イベントなど）が行われているか調べる。

② 調べた行事の中で保育に取り入れたい行事を考えよう。

Hint! どのように保育の中に取り入れるかを考えてみよう（絵本や紙芝居などで伝える、製作などを行う、学年や園全体で行うなど）。

③ ②で考えた社会的行事を保育に取り入れる方法を発表し、仲間同士で意見交換をしよう。

Hint! 互いの発表を聞き、もっと工夫できる点などについて意見交換しよう。また、その社会的行事を行うに当たって、多様な家族形態に配慮し、事前に保護者に確認しておくことはないかについても意見交換しよう。

4 園行事について考えよう！

① 自分自身が幼いころに楽しかった（覚えている）園行事について思い出し、どのような行事で何が楽しかったのかまとめてみよう。

Hint! 例：「運動会」「生活発表会」「七夕」「遠足」「お泊まり保育」「誕生会」「クリスマス会」「ひな祭り」など。

② グループに分かれて、①の行事について発表し合い、その中から行ってみたい園行事を一つ決め、改めてどのような行事にするか考えよう。

Hint! Step1：仲間の行事の思い出や楽しさなどを聞き、子どもたちに経験してほしい行事を一つ決める。

Step2：「ねらい」や「内容」、クラスで行うのか、園全体で行うのかについて考え、どうしたら楽しく行うことができるかアイディアを出し合う。

Step3：出し合った意見を行事計画としてまとめる。

③ グループでまとめた行事の計画について発表し、意見交換しよう。

Hint! 工夫されていると思うところや、もっと工夫できるところなどの意見を出し合ってみよう。

Column　幼児期からの環境教育

地球温暖化、オゾン層の破壊、熱帯雨林の減少、水質・大気汚染、ごみの増加など、現在、私たちの生活の広範囲において、地球規模で考えなくてはならない環境に関するさまざまな課題が明らかになっています。このような中、日本では国民一人一人の環境保全に対する意識や意欲を高め、持続可能な社会づくりにつなげていくため、2003（平成15）年7月「環境の保全のための意欲の増進及び環境教育の推進に関する法律」（環境教育推進法）という法律が成立しました。その後、国連の「持続可能な開発のための教育の10年」に対応するため、環境教育推進法は2011（平成23）年6月に環境、文部科学、国土交通、農林水産、経済産業の5省が共管する「環境教育等による環境保全の取組の促進に関する法律」（環境教育等促進法）へと改正されました。

2012（平成24）年10月には環境教育等促進法が全面施行され、学校教育における環境教育の充実が一層図られていくことになりました。これを受け、小学校や中学校はもちろん、幼稚園や保育所、認定こども園等、幼児期からの環境教育の取り組みへの期待がより高まっています。教育・保育現場で具体的な取り組みにつなげていくために参考となる資料も国や各団体から発信されていますので、以下に紹介します。

＜環境教育に関する参考資料＞

①国立教育政策研究所教育課程研究センター『環境教育指導資料〔幼稚園・小学校編〕』2014年10月

小学校や幼稚園における環境教育の指導のポイントや留意点とともに、具体的な実践事例が紹介されています。

②環境省「ECO学習ライブラリー」ホームページ

環境教育実践のための情報サイトです。「授業に生かす」という検索ページから、教材やプログラムを入手することができます。幼児向けのコンテンツも用意されています。

③公益財団法人日本環境協会「こどもエコクラブ」ホームページ

3歳から高校生までを対象とした環境活動を行っている「こどもエコクラブ」のホームページです。「子どもたちの環境保全活動や環境学習を支援することにより、子どもたちが人と環境の関わりについて幅広い理解を深め、自然を大切に思う心や、環境問題解決に自ら考え行動する力を育成し、地域の環境保全活動の環を広げることを目的」として行っているさまざまな活動について見ることができます。

④一般社団法人産業環境管理協会・資源・リサイクル促進センター「小学生のための環境リサイクル学習」ホームページ

リサイクルについて、子どもが自身で調べたり、考えたりできるコンテンツが用意されています。小学生向けにつくられていますが、参考になります。

⑤国立環境研究所・地球環境研究センター「CGER eco倶楽部」ホームページ

子どもが「見て・読んで・試して」楽しみながら、地球環境について考えるホームページです。

Part 3

Step up!

保育実践の学びを深めよう

第1章 遊びを通した総合的な指導の展開について学ぼう

1．子どもの遊びと保育内容５領域

「遊びを通した総合的な指導」が保育の基本として重視されていることは、すでに学んだ通りです（本書 Part １第２～３章参照）。子どもは遊びの中で、心身全体を働かせて活動しています。子どもは、一つの遊びの中においても、心身のさまざまな発達に必要な経験を同時にしており、それらが相互に関連し合いながら、総合的に発達していきます。では、子どもの遊びの重要性と５領域の関連について事例を通して学びましょう。

（1）保育における子どもの遊び

子どもの生活の中心は遊びです。子どもは、自ら周囲の環境に多様な方法でかかわり、夢中になってそのかかわりそのものを楽しんでいます。保育における遊びは、何らかの成果を目的にしたり、誰かに強制されたりして行うものではありません。子どもが自発的に環境にかかわり、そのかかわり自体を楽しんで行う活動が遊びです。

事例１

「並べたい！」（１歳児クラス）

７月。昼食の時間が近づき、ホールでの遊びを切り上げて保育室に戻ってきた子どもたちは、順番に保育者に手伝ってもらいながら着替えや排泄をしている。

このような中、Ｂ也くん（１歳 10 か月）は壁に向かって熱心に何かをしている。どうやら保育室の壁面装飾を指で一生懸命はがそうとしているようだ。この壁面装飾は子どもが自由にはがしたり、貼ったりすることを楽しめるように保育者が用意したもので、壁にはいろいろな海の生き物が飾られていた。１歳児のＢ也くんにとって、指先を使って壁の装飾をはがしたり、貼ったりすることは簡単なことではない。一心不乱に壁に向かって海の生き物と格闘しているようだった。あまりにも熱心な姿に、保育者がそばでＢ也くんをそっと見守る。他児も時折、寄ってきてはＢ也くんの様子を見ている。

準備ができた子どもから昼食がはじまった。それでもＢ也くんはまだ壁に向かっている。しばらくして、ようやく納得したようにＢ也くんが後ろの保育者を振り返った。壁にはサメが２匹、カニが２匹、きれいに並べられている。保育者が笑顔で「できたね」と応えると、満面の笑みでうれしそうにその場をあとにした。

事例１は、何気ない園生活の一場面ですが、Ｂ也くんの壁面装飾へのかかわりには遊びの本質を見ることができます。保育者もその本質を見抜いて、昼食の時間だからとＢ也くんを止めることはせず、納得するまで大切に見守っています。Ｂ也くんは、この遊びに没頭する中で、指先を器用に使うこと、根気強く取り組むこと、同じものを分類、整理することを経験しています。このように子どもの自発的な遊びには、発達に必要な経験が多く含まれています。子どもが自ら かかわりたくなる環境、時間、雰囲気なども重要です。

（2）子どもの遊びにおける５領域の経験

子どもが遊びを楽しむことが基本ですが、保育者はその遊びが子どもにとってどのような意味をもっているか、冷静に読み取ることが必要です。遊びの中で子どもがどのような経験をしているのか、その経験がどう発達につながっていくのかをとらえます。この子どもの発達をとらえる窓口が５領域です。子どもの遊びの様子を具体的に把握し、その遊びの中で経験していることが５領域とどう関連しているかとらえ、子どもの発達を見通します。

事例２

「ジュース屋さんです」（５歳児クラス）

8月。Ｓ奈ちゃんとＭ香ちゃんが、園庭の朝顔の花がしぼんでいるのに気づき[環)]、保育者に「これもうとっていいの？」とたずねている。昨年、５歳児が朝顔で色水をつくって遊んでいる中に入れてもらい遊んだことを思い出して、朝顔の色水づくりがはじまった。

「次は赤い色のお花でやってみよう」と色の違う花を探して試してみるＳ奈ちゃん[環)]。異なる色の色水ができ、眺めて「きれいね」というＭ香ちゃん[環)]。そんな様子にほかの子どもたちも集まってきて色水づくりに参加する。Ａ子ちゃんは、「このお花はどうかな？」[環)]とピンク色のホウセンカの花びらを拾ってきた。するとオレンジ色の色水ができあがり、子どもたちの歓声があがる[環)]。また、Ｃ雄くんは葉っぱで色水をつくっているが、色が出ず「どうして？」と不思議がっている[環)]。Ｔ吾くんも一緒になって「この葉っぱ色が薄いからじゃない？」[言)]と、２人でいろいろな葉っぱを探してきて、根気強く試している[環) 人)]。

しばらくしていろいろな色の色水がテーブルの上に並び、Ａ子ちゃんの「ジュースみたい」の一言でジュース屋さんが開店した。Ｍ香ちゃんは、小石を拾ってジュースの中に入れたり、葉っぱで飾ってみたりしている[表)]。Ｓ奈ちゃんは、「いらっしゃいませ。ジュース屋さんです」と、お店屋さんになりきっている[言) 表)]。じっと見つめる３歳児に気づいて、「どうぞ」とジュースを差し出し、やさしく声をかけるＡ子ちゃんの姿もあった[人)]。

※ 環：環境、人：人間関係、言：言葉、表：表現を表し、これらの領域に関連する箇所を示す。

事例２の草花での色水づくりは、草花に関心を寄せて遊ぶ姿から、領域「環境」に関する内容であると読み取ることができます。しかし、よく見ると、自分の考えを言葉にしたり、色水をジュースに見立てたり、３歳児にやさしくかかわる姿など、環境だけではなく、人間関係や言葉、表現などのほかの領域にかかわる内容についても経験しています。子どもは一つの遊びの中においても、複数の領域にかかわる経験をしているため、５領域を視点に子どもの遊びを総合的にていねいにとらえ、保育を展開することが大切になります。

2．主体的・対話的で深い学びにつながる活動実践

「遊びを通した総合的な指導」の展開において、子どもの遊びが豊かであることが求められます。子どもの遊びや活動が、「主体的」であるか、「対話的」であるか、「深い学び」につながっているか、この３つの視点で、豊かな遊びの実践事例を見てみましょう。

実践事例　どんぐりむしのおうちって、どうなっているの？

ここで紹介する事例園は、東京都内の住宅街にあります。近隣の施設にある広場で遊ぶのが定番の散歩コースです。この実践は、子どもたちが広場のどんぐりと出会って、どのようなことに興味・関心をもっているのか、どのようなことを学んでいるのかを職員間で考察しながら展開した幼児異年齢グループの事例です。

（1）子どもの興味・関心を観察する

① 自然とのかかわりを大切にしていく

まず、担任保育者は、クラスの保育計画を立案するにあたって、子どもたちが興味・関心をもっていることを活動のテーマにしようと話し合いました。保育者が何かを教えるのではなく、子どもたち自身が遊びを通して学びを深めていくために、まずは何に対して子どもたちが興味・関心をもっているのか観察するところからはじめました。

4月頃

春になると、冬眠から覚めたダンゴムシを子どもたちはすぐに見つけ出して、ダンゴムシ探しがはじまります。そのほかにもテントウムシやアオムシを捕まえたり、畑に夏野菜を植えて成長を観察したりと、春は自然とのかかわりを大切にしていきました。

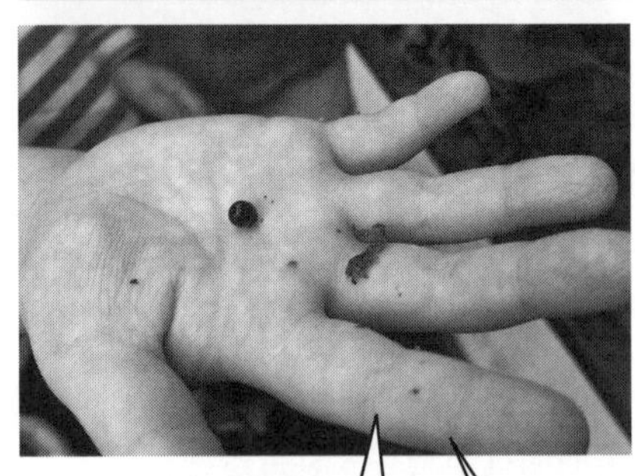

このダンゴムシ動かないね。

お昼寝しているんじゃない？

保育者の気づきから

自然とのかかわりを通して子どもたち一人一人が感じていることはさまざまである。自然の小さな変化に気づき、不思議さを感じ、感動している子どもたちの考えや思いをしっかりと汲み取って大切にしていきたいと思う。

② 自然の「変化」に目を向けてみよう ── 雨の日散歩と晴れの日散歩

9月頃

きもちいい！

子どもたちは、自然の小さな変化にもいち早く気づき、おもしろさを発見するすばらしい感性があります。身近な自然の変化と出会ったときに、子どもたちが何を感じているのかを観察しようと、保育者は、雨の日と晴れの日それぞれに散歩を計画しました。

雨の日の散歩では、地面の土が変化していく様子が、子どもたちの心を動かしました。土が水分を含んだことで、指の跡が残ることにおもしろさを感じた男の子でしたが、そのうちに土が滑らかな質感に変化していくことに気づきました。着ていたカッパもドロドロになるほど、手のひらの感覚を楽しんでいました。

見て！ どろどろになってきた！

保育者の気づきから

大人のイメージする「雨」とは違い、子どもたちは体験を通して「雨」を楽しんでいた。晴れの日の散歩では、晴れの日と雨の日の変化について、何かに気づいたり感じたりしてくれるのではないか。

晴れの日の散歩ではカメラを用意し、子どもたちがおもしろいと思ったものや気づいたことを写真に収められるようにしました。

そこで見つけたのが丸いどんぐりです。その日から、散歩に行くたびにどんぐりを拾う子どもたち。保育者は、どんぐりについての知識を教えることはせず、子どもたちの気づきや、どんなふうにどんぐりとかかわっていくのかを観察しました。

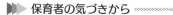

こっちのどんぐりはまるくてきれい！
写真とっておこうよ！

ここだけどんぐりが
いっぱい落ちている！

見て！ 木の上にどんぐりがいっぱいある！

保育者の気づきから

保育者は、子どもたちが晴れの日と雨の日のどのような違いに気づくかをねらいとしていたが、実際に子どもたちが興味をもったのはどんぐりだった。ねらいは変わったが、子どもたちの自然に対する関心は深まってきていると思う。子どもたちが今後の活動でどんぐりについて、どんなことに気づき、考えていくのかを大切にしたい。

（2）どんぐりとのかかわりを広げる

① どんぐりの魅力

園にどんぐりをもち帰り、子どもたちが観察をはじめます。同じ種類のどんぐりでも、形や色やひび割れなど、特徴が異なります。子どもたちはどんぐりの“種類”ではなく、一つ一つの個体差に興味をもって、どんぐりに名前をつけていました。そして、子どもたちのお気に入りのどんぐりは名前をつけてコレクションにしました。

こっちは太いから太ももどんぐり！

こっちは細いからグミどんぐりかな？

どんぐりコレクション

ちょっと割れたどんぐり、でぶっちょどんぐり、白どんぐり、帽子どんぐり、お皿どんぐり……etc

② どんぐりむしを発見

集めてきたどんぐりを広げ、子どもたちがどんぐりの皮をむきはじめました。すると、どんぐりの中から幼虫を発見しました。「ようちゅうが出てきたー！」と子どもたち。何の幼虫かは誰もわかりません。でも、どんぐりから出てきたので“どんぐりむし”と理解します。

どんぐりむしの赤ちゃんなんだよ。おうちをつくってあげようよ。

どんぐりむしのおうち

どんぐりむしのおうち やさしく見てね

（3）「どんぐりむしのおうちってどうなっているの？」

① どんぐりむしの赤ちゃん

子どもたちは、どんぐりむしが無事に大きくなれるよう家をつくって観察することにしました。しかし、家をつくろうにも、何を用意したらよいのかがわかりません。そこで「どんぐりむしのおうちってどうなってるの？」と、どんぐりの中の世界について疑問が生まれたので、イメージしたことを描いてみることにしました。

どんぐりむしの赤ちゃんとお母さんが暮らしているんだよ。

どんぐりの真ん中には、産まれそうな赤ちゃんとお母さんを温めるために布がかけてあるよ。

どんぐりの中には妖精がいて守ってくれるんだよ。

どんぐりむしがぶらさがって入ってる。丸いのは卵で、100個あるの。

どんぐりのまわりはギザギザしてるけど、海に流されてお魚に追いかけられちゃうの。

保育者の気づきから

子どもたちは「幼虫＝赤ちゃん」と考えていて、赤ちゃんには家族がいて、赤ちゃんを守ってくれているはずだと考えていることがわかった。

絵に表してみると、さらに一人一人の物語が表現されていた。子どもたちはそれぞれにイメージや想像の世界を楽しんでいる。

② 考えの可視化

何日かすると、飼育ケースの中に2種類の虫がいました。子どもたちは、「このむしが最後はちょうちょう（蛾）になったんだ！」と喜びました。

実際は、どんぐりに住む虫には複数の種類があり、ゾウムシと蛾は別の生き物です。しかし、子どもたちは、ゾウムシが蛾に成長するのではないかと引き続き観察を続けます。保育者は、子どもたちの考えをドキュメンテーションにまとめ、保護者にも共有することにしました。

どんぐり虫の成長を追って…。

「どんぐりむしがせいちょうした！」
驚いた表情で、あわてて
保育者に伝えてくれた男の子。

ドングリ虫の幼虫

その日のモーニングトークでみんなで見てみることに。

ぞうむしに変化した!

「てんぐみたいなつのがある。」
「カブトムシのあかちゃん？」

想像していた姿とはあまりに形が違ったことに驚いていた子どもたち。

顔の先の長い物体は何だろう！？

「ゾウと違って肌がプニプニしてない。」
「敵が来たら角で倒すんだよ。」
「固そうだから、木で出来てるんじゃない？」

！？

「ちょうちょうになった！」
もう一匹いたどんぐり虫は、ある日“が”に成長しました。

“が”になった!

「角はどこにいったの？
「羽はどこから
生えたんだろう…

実は、どんぐりに住み着く虫には2種類います。
モカの子どもたちの中では、まだゾウムシと"が"は、
同じ成長過程の中にいると考えているようです。
今後、子どもたちはどのような変化に気が付くのでしょうか。
また、今回のフェスティバルでは、「どんぐり虫→ゾウムシ→が」へと
変化する物語となりました。細部までこだわった表現にご注目ください。

角があるのね。
カブトムシの赤ちゃん？

雨が降ってきたー！
ぬれちゃうよー!!

③ 広がる想像の世界

12月頃

12月の発表会では、どんぐりむしが成長していく物語を、音楽に合わせた身体表現で披露しました。

どんぐりの中で赤ちゃんを守る妖精が明日の天気を知らせてくれたり、栄養のある土を運んできてくれたりと、現実と想像が合わさった創作劇となりました。劇の最後では無事にゾウムシが蛾へと成長しました。

妖精が明日の天気を教えてあげるんだ。明日は晴れるよ。

（4）学びを振り返る

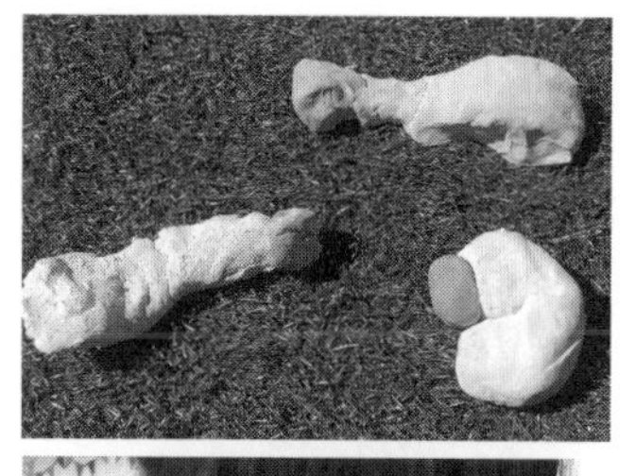

① 発表会後の作品掲示へ

発表会がおわったあとも、子どもたちの遊びは継続していきました。図鑑で顕微鏡で拡大されたゾウムシを環境として用意したことで、子どもたちは体の仕組みに興味をもちはじめます。よく観察しながら絵を描いてみると、肌の質感や、毛の流れ、一人一人のこだわりが見えてきます。中には1時間以上集中して描き続ける子どももいます。絵が苦手な子どもは粘土で幼虫を表現しました。子どもたちの作品は、「モカびじゅつかん」（“モカ”はこの園の異年齢グループの名称の一つ）として玄関に掲示しました。

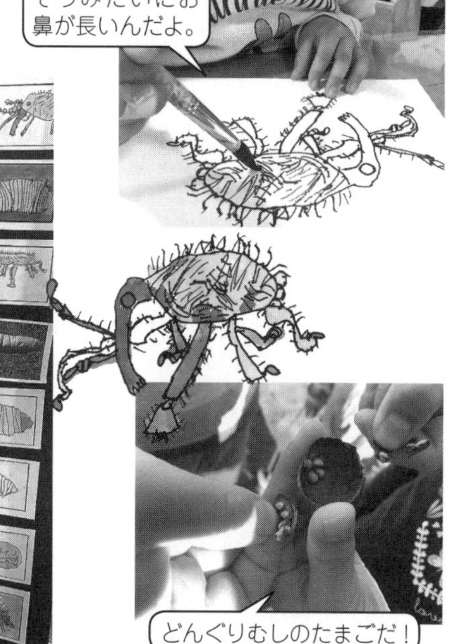

どんぐりむしのたまごだ！

割れたどんぐりの中に卵を見つけたところで、年度がおわってしまいました。

次の春、畑に植えた小松菜の葉が虫に食われていることに気づき、そこでアオムシと出会いました。これからどんな学びが生まれていくのでしょうか。

② 保育者の振り返り

“自然”のおもしろさ、不思議さに目を向けることを大切にしてきた一年でした。子どもたちの興味はどんぐりむしと出会って大きく広がりました。その過程では、どんぐりむしについて詳しくなることではなく、一人一人が何を感じ、考えているかを大切にしていきました。最終的に子どもたちが、ゾウムシと蛾は別の種類であるということに気づくことはありませんでしたが、そうした知識を学びのゴールにする必要はないと思っています。子どもたちがたくさん思考し、体験してきた過程一つ一つが学びであり、蛾さえも親しみの存在として、理解しようとしていた子どもたちの感性がすばらしいと思います。

3．実践事例から学ぶ

（1）「主体的な学び」：子どもの興味・関心からはじまる活動

この長期にわたる実践事例の活動は、子どもたちが興味・関心をもっていることからスタートしています。このことは保育のもっとも重視すべき点ですが、子どもをただ好きなように遊ばせていることとは違います。「自然とのかかわりの中で、そのおもしろさや不思議さに気づく」ことを大きな保育のねらいとしながら、園外の広場に出かけていき、豊かな自然とのかかわりがもてる機会を用意しています。年間を通して出かけたり、晴れの日だけでなく、雨の日にも出かけたりして、多様な自然とかかわれるよう工夫もなされています。このように、子どもの興味・関心に基づいた豊かな環境が用意されることで、子どもは自ら環境にかかわり、主体的に活動に取り組みます。

しかし、どんなに保育者が子ども一人一人の興味・関心に基づいて計画しても、子どもの環境へのかかわりは保育者の予想を超えて多様に展開することも少なくありません。保育者は、はじめは晴れの日と雨の日の違いに気づくことをねらいとしていましたが、子どもの興味・関心は異なるところにありました。子どもが興味・関心をもってかかわった雨は、水分を含んだ地面の土に指の跡が残るおもしろさ、滑らかな質感のおもしろさで、保育者がイメージしていた雨とは異なっていたと振り返っています。また、晴れの日にはどんぐりへの興味がふくらみ、かかわる姿があります。はじめに立てたねらいとは異なっても、そのときどきの子どもの興味・関心に寄り添い、環境にかかわる姿を受け止めながら、ねらいを修正していくことが大切です。そのことで、子どもはさらにどんぐりへの関心を高め、積極的にかかわっています。どんぐりへの積極的なかかわりは、外から見た形状の違いの発見にはじまり、どんぐりの中に対する探索的な働きかけ、幼虫の発見から幼虫の成長への期待とつなげ、主体的な学びを実現しています。

（2）「対話的な学び」：気づきや考えを伝え合う喜び・楽しさ

どんぐりの中の幼虫、「どんぐりむし」を育てることになった子どもたちから生まれた「どんぐりむしのおうちってどうなっているの？」という疑問について、子どもたちそれぞれのイメージや考えがふくらみ、絵に表現する活動が展開されています。言葉で伝えにくいイメージも描くことで豊かな表現を可能にし、子どもたちは表現そのものを楽しんでいます。また、絵には言葉が添えられ、それぞれのイメージや考えの交流が生まれます。

どんぐりむしの赤ちゃんの成長は、子どもたちの知的好奇心を掻き立てていますが、保育者はその様子を見逃さずに、モーニングトーク（朝の集まり）で「対話の場」を用意しました。成長したどんぐりむしの姿を見た子どもたちは、自分の考えを言葉にして伝え、相手の考えに耳を傾け、気づきや考えを伝え合う喜び・楽しさを味わっています。同じ興味・関心をもち一緒にかかわって活動してきた仲間と、気づきや考えを交わすことを楽しみながら、子ども一人一人の考えが広がり深まっていき、対話的な学びとなっています。

（3）「深い学び」：多様な考えに出会い、新たな考えを創造する楽しさ

保育者はこの活動の中で、一貫して子どもに正しい知識を教えることなく、子ども一人一人が思考するプロセスそのものを大切にしています。正しい知識としてゾウムシは蛾にならないことを子どもに伝えることは簡単ですが、保育者は知識を増やすことではなく、子どもが何を感じ、考えるかを大切にしてきたと述べています。そのことにより子どもたちは自由に頭を働かせ、考えたことを言葉にし、仲間に伝えることで、多様な考えに出会い、さらには新たな考えを創造する楽しさを味わっています。深い学びとは、まさにこのような思考のプロセスなのです。

（4）遊びを通して総合的に育つ子ども

自然とのかかわりを大切に、園外に出かけていき、どんぐりや虫とのかかわりを存分に楽しむ活動が展開されていきました。身近な自然に親しみ、そのおもしろさや不思議さに気づいたり、考えたりする経験は領域「環境」の内容ととらえることができます。

しかし、一連の活動では、イメージしたことを絵に表現したり、考えたことを言葉にしたりして仲間とやりとりをするなど、領域「表現」や「言葉」、「人間関係」に関する内容も同時に経験しています。どんぐりむしが成長していく創作劇では、音楽に合わせた身体表現にも発展していますが、これは領域「表現」や「健康」に関する内容でもあります。

このように、子どもは自ら環境にかかわり、主体的に取り組む遊びの中で、実に多様な経験を積み重ねています。その経験は一つの領域ではなく、複数の領域にまたがり、それらが相互に関連し合いながら、育つ子どもの姿があります。

子どもが自ら環境にかかわり、夢中になって取り組む遊びは、学習と同じです。子どもの自発的な遊びを通して展開する保育では、その遊びが子どもの育ちにとって意義あるものとなっているか、５領域の視点でとらえていくことが大切です。また、遊びの過程において、「主体的な学び」、「対話的な学び」、「深い学び」が実現しているかを問いながら、絶えず改善していくことが求められます。

Column　プロジェクト型活動

プロジェクト型活動とは、子どもが遊びや生活の中で、興味や関心を抱いていることの中からテーマを見出し、そのテーマに基づいて仲間と調べたり、試したり、考えたりして協同的に取り組む主体的な活動です。ある程度の期間継続して、子どもの興味に基づいたテーマを探求していきます。子どもが自ら探索し学ぼうとする意欲を育てるプログラムとして、ドイツやイタリア、オランダ等で積極的に取り入れられ発展してきました。OECD（経済協力開発機構）による「生きる力と技能テスト」といわれるPISA（学習到達度調査）において、オランダは世界最高レベルの成績を残しましたが、オランダの幼児教育メソッドであるピラミーデではプロジェクト型活動を取り入れています。近年、日本においても保幼小の接続を意識して、プロジェクト型活動の実践が注目されています。

第2章

小学校との連携・接続の実践について学ぼう

1．幼児期における学びと保育

（1）幼児期の学び

就学前の保育施設における保育は、「環境を通して行う保育」を基本としており、人、もの、場、自然や社会事象など、子どもにとって豊かな環境を用意することが重要です。一人一人の子どもに保育のねらいが着実に実現されていくためには、子どもが必要な経験を積み重ねていくことができるように発達の道筋を見通し、教育的に価値のある環境を計画的に構成していかなければなりません。

また、「遊びを通した総合的な指導」をする上での視点として、遊び自体が乳幼児期特有の一つの学びの形態であることから、子どもの遊びの展開に留意し、保育者が計画的に環境を構成することが必要になります。一人一人の特性に応じた援助については、子ども一人一人の家庭環境や生活経験が異なるため、人や事物へのかかわり方や環境のかかわり方も異なること、子どもの具体的な要求や活動から心情の状態、活動に対する思いや願いなどの内面の動きを理解し、子どもの発達にとって必要なものについて状況や場面に応じて適切に把握していくことが大切です。保育者は、子どもの主体的活動としての遊びを中心とした保育を日々実践すること、保育の教材研究や保育環境を整備すること、子どもとの信頼関係を十分に築き、子どもとともによりよい保育環境をつくり出すことなど多くの役割があります。つまり、保育者は子どもにとっての活動の理解者であり共同作業者であり子どものあこがれを形成するモデルであり、子どもが精神的に安定するための心の拠りどころといえます。

このように、幼児期における学びとしての遊びが豊かなものとなるよう、環境を通して適切な援助を行う人的環境としての保育者が果たす役割は極めて大きいといえます。

（2）幼児期から小学校以降の学び

2006（平成18）年に教育基本法が改正され、「幼児期の教育は、生涯にわたる人格形成の基礎を培う重要なものである」と明文化されました。そして、2008（平成20）年の教育要領の改訂では、「第1章　総則　第1幼稚園教育の基本」が示されました。さらに、2017（平成29）年に行われた教育要領の改訂では、幼稚園教育において育みたい資質・能力が明確化され「幼児期の終わりまでに育ってほしい姿」（本書 p.148 ～ 149 参照）をもとにした小学校教育との円滑な接続について明記され、さらに、家庭や地域社会と連携しながら幼児期の教育活動のさらなる充実を図ることも留意事項としてつけ加えられました。また、同時期に改訂（改定）された保育指針、そして教育・保育要領においても、幼児教育を行う施設として共有すべき事項として、３つの育みたい資質・能力（図表 2-1 参照）と「幼児期の終わりまでに育ってほしい姿」が示されました。特に、保育指針では、乳児保育・１歳以上３歳未満児の保育に関する記載の充実が図られました。

育みたい資質・能力とは、幼児期の教育の質の向上を図ることを基礎として示され、乳幼児教育からはじまり、18 歳までの育ちを通して伸びていく柱を意味します。幼児教育では、特にこの柱の基礎を培うことが必要とされています。そのため、幼児期から小学校以降の学びの連続性が今まで以上に重要視されており、小学校学習指導要領（小学校教育の教育課程編成のための基本方針や教育内容、学校のカリキュラム作成等の基準）でも、教育活動における資質・能力の育成があげられています。

（ア）豊かな体験を通じて、感じたり、気付いたり、分かったり、できるようになったりする「知識及び技能の基礎」
（イ）気付いたことや、できるようになったことなどを使い、考えたり、試したり、工夫したり、表現したりする「思考力、判断力、表現力等の基礎」
（ウ）心情、意欲、態度が育つ中で、よりよい生活を営もうとする「学びに向かう力、人間性等」

図表 2-1　育みたい資質・能力

幼児教育を行う施設	小学校
知識及び技能の基礎	知識及び技能が習得されるようにすること
思考力、判断力、表現力等の基礎	思考力、判断力、表現力等を育成すること
学びに向かう力、人間性等	学びに向かう力、人間性等を涵養すること

図表 2-2　幼児教育を行う施設と小学校の資質・能力

図表 2-2 を見ると、幼児期から児童期へと育ちが連続していることや、目指す方向性が同じことが読み取れます。このことから、幼児期から小学校以降の学びに連続性があることがわかります。

（3）幼児期の学びを育む保育実践事例

幼児期の学びはどのように育まれていくのでしょうか。

ここでは、後述する「幼児期の終わりまでに育ってほしい姿」（本書 p.148 ～ 149 参照）の中にも示されている領域「環境」ともかかわりのある「思考力の芽生え」に関連した５歳児の事例を通して考えてみましょう。

事例３

「プラカップけん玉をつくりたい」（５歳児クラス）

お正月が明け、幼稚園がはじまった。子どもたちは、朝の会で冬休みの楽しい思い出を休み明けにみんなで話すことにしていた。

Ａ太くんは、帰省時に祖父からもらったけん玉を使って教わった技を披露した。「それ何？」「おもしろいね」など、他児の興味も広がる。気をよくしたＡ太くんは、一人一人に貸しては技を教えていたが、なかなかうまくいかない。Ｄ吾くんが、「けん玉つくったことあるよ！」といい出し、廃材ＢＯＸからやペットボトルのふた、タコ糸などをもってきて製作をはじめた。「本物がツルツルしているからプラスチックカップにしたんだよ」といいながら、できあがったのは、プラカップのけん玉である。以前つくった紙コップけん玉の進化版だ。けん玉づくりはクラスに広がり、玉の部分の素材や大きさを変えたり工夫したりしながら楽しむ様子が見られた。

子どもは、素材と直接かかわりながらものの性質や仕組み、構造や機能を理解します。子どもの姿から出発し、実践事例を分析・考察することで、子どもの学びや育ちのつながりが見えやすくなるといえます。

2．接続期カリキュラムとその実践

（1）学びの連続性

文部科学省は、教育要領において、幼児期の教育と小学校教育との円滑な接続の重要性を示しています。また、保育指針および教育・保育要領においても同様の文言が明記されています。学びの連続性とは、幼児期の遊びから小学校の学びのあり方をヒントに、幼児期の教育と小学校教育の円滑な接続と教科活動につながる幼児期の遊びと学びについて考えることです。

ここでは、主に「接続期カリキュラム」と呼ばれる取り組みに焦点を当てて、移行期に子ども自身が学びやすい適切な環境づくりについて考えていきます。

（2）アプローチカリキュラムとスタートカリキュラム

アプローチカリキュラムとは、就学前の幼児がスムーズに小学校の生活や学習へ適応できるようにするとともに、幼児期の学びが小学校の生活や学習で生かされてつながるように工夫された５歳児のカリキュラムを指します。また、スタートカリキュラムとは、幼児期の育ちや学びを踏まえて、小学校の授業を中心とした学習へうまくつなげるために、小

連携から接続へと発展する過程のおおまかな目安（幼児期の教育と小学校教育の円滑な接続の在り方について（平成22年11月11日 幼児期の教育と小学校教育の円滑な接続の在り方に関する調査研究協力者会議））	ステップ0	連携の予定・計画がまだ無い。
	ステップ1	連携・接続に着手したいが、まだ検討中である。
	ステップ2	年数回の授業、行事、研究会などの交流があるが、接続を見通した教育課程の編成・実施は行われていない。
	ステップ3	授業、行事、研究会などの交流が充実し、接続を見通した教育課程の編成・実施が行われている。
	ステップ4	接続を見通して編成・実施された教育課程について、実践結果を踏まえ、更によりよいものとなるよう検討が行われている。

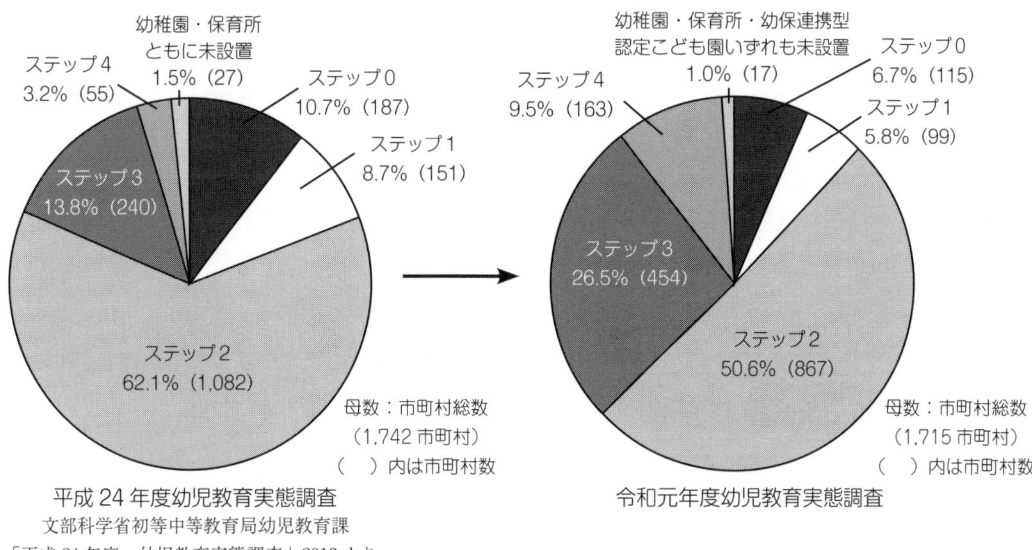

図表2-3　市町村における幼小連携・接続の状況

文部科学省初等中等教育局幼児教育課「令和元年度　幼児教育実態調査」2020

学校入学後に実施される合科的・関連的カリキュラムを指します。

図表2-3にあるように、文部科学省は、「幼児教育実態調査」で、「市町村における幼小連携・接続の状況」として、全国自治体から収集した幼小接続期についての検討結果をホームページで紹介しています。まず、幼小接続期カリキュラムの実施状況としては、ステップ3にあたる「教育課程の編成・実施が行われている」と回答した自治体は、平成24年度では240自治体でしたが、令和元年度には454自治体となっており約2倍に増加しています。そして、ステップ4にあたる「教育課程について、実践結果を踏まえ、更によりよいものとなるよう検討が行われている」と回答した自治体は、平成24年度では55自治体でしたが、令和元年度には163自治体と約3倍に増加しており、アプローチカリキュラムやスタートカリキュラムの作成を含む幼小連携への具体的な取り組みの広がりを見ることができます。

このような自治体の保幼小連携の取り組みから、保幼小連携の大切さが重視されていることがうかがえます。また、アプローチカリキュラムとスタートカリキュラムの両方が位置づいていくことで、よりスムーズな小学校への接続が可能となるでしょう。

（3）幼児期の終わりまでに育ってほしい姿

3つの資質・能力は、保育内容の5つの領域におけるねらい及び内容に基づく活動全体によって育むものですが、幼児期の終わりまでに育ってほしい姿（以下10の姿）は、保育内容の「ねらい」および「内容」に基づく活動全体を通して資質・能力が育まれている幼児の幼稚園や保育所、認定こども園修了時の具体的な「姿」になります（次頁、図表2-4参照）。

この「姿」は、日々の具体的な活動を通して見えてくる子どもの様子であり、保育者が援助を行う際に考慮するものです。そのため、単に5歳児からの姿だけを見るのではなく、乳児期の育ちからはじまり、1歳以上3歳未満児の時期へと移行し、3歳以上児となり、やがて5歳児後半の段階で10の姿につながる理解が必要になります。

また、小学校に就学すると同時にスタートカリキュラムがはじまり、徐々に遊びを通した学習から教科等への授業に移行していくことから、10の姿は、幼児期に完成するということではなく、方向性を示したものであることを押さえておきましょう。

Column　接続期カリキュラムの実際

2017（平成29）年の教育要領、保育指針、教育・保育要領および小学校学習指導要領の改訂（改定）を踏まえ、教育・保育のさらなる充実や、幼児教育と小学校教育の接続の一層の強化を図るため、全国の自治体で「幼保小接続期カリキュラム」が策定され、実施されています。

千葉県総合教育センターのホームページでは、「接続期のカリキュラム千葉県モデルプラン」をガイドブック＆リーフレットで紹介しており、接続期のカリキュラムを「5歳児の学びのカリキュラム」、小学校における「スタートカリキュラム」で構成し、それぞれのカリキュラムを「幼児期の終わりまでに育ってほしい姿」でつなぐことで、保育者と小学校教諭がお互いの活動を理解し、円滑な接続を図ることができるようにしています。

実践例としては、5歳児が、「自分たちで育てて収穫したさつまいもやいろいろな野菜には命があることを知り、感謝の気持ちをもちながらみんなで調理し食すことを楽しんだ」「煮炊きをするために、かまどで火を起こす体験を通して、火は自分たちが生活していく上で必要なものであることを感じ取った」経験などは、「自然との関わり・生命尊重」や「協同性」の姿に結びつきます。そして、これらの姿は、「植物の栽培やそれらを活用した活動で、おもしろい、不思議だな、どうすればよいだろう、どうしたらこうなるのか考える」など、小学校の探究の学習へとつながっていきます。また、クラス全体で同じ目的に向かって活動することで育まれた「協同性」や「言葉による伝え合い」なども、小学校生活の基礎となることが示されています。

他の自治体の例をあげると、東京都の足立区では、「あだち幼保小接続期カリキュラム 家庭版」が配信されており、5歳児が在籍する区内就学前施設を通して保護者に配布する取り組みが積極的に行われています。これは、子どもが喜びと期待をもって就学し、小学校生活に滑らかに移行するために家庭で心がけてほしいことを10ポイントにまとめたものです。このほかにも、自治体ごとに特色のある取り組みが実施されていますので、みなさんの身近な地域から調べてみるとよいでしょう。

参考）千葉県総合教育センターHP「接続期のカリキュラム千葉県モデルプラン 5歳児の学びのカリキュラム スタートカリキュラム」2019、足立区役所HP「あだち幼保小接続期カリキュラム 家庭版」2018

(1) 健康な心と体	幼稚園（保：保育所の、こ：幼保連携型認定こども園における）生活の中で、充実感をもって自分のやりたいことに向かって心と体を十分に働かせ、見通しをもって行動し、自ら健康で安全な生活をつくり出すようになる。
(2) 自立心	身近な環境に主体的に関わり様々な活動を楽しむ中で、しなければならないことを自覚し、自分の力で行うために考えたり、工夫したりしながら、諦めずにやり遂げることで達成感を味わい、自信をもって行動するようになる。
(3) 協同性	友達と関わる中で、互いの思いや考えなどを共有し、共通の目的の実現に向けて、考えたり、工夫したり、協力したりし、充実感をもってやり遂げるようになる。
(4) 道徳性・規範意識の芽生え	友達と様々な体験を重ねる中で、してよいことや悪いことが分かり、自分の行動を振り返ったり、友達の気持ちに共感したりし、相手の立場に立って行動するようになる。また、きまりを守る必要性が分かり、自分の気持ちを調整し、友達と折り合いを付けながら、きまりをつくったり、守ったりするようになる。
(5) 社会生活との関わり	家族を大切にしようとする気持ちをもつとともに、地域の身近な人と触れ合う中で、人との様々な関わり方に気付き、相手の気持ちを考えて関わり、自分が役に立つ喜びを感じ、地域に親しみをもつようになる。また、幼稚園（保：保育所、こ：幼保連携型認定こども園）内外の様々な環境に関わる中で、遊びや生活に必要な情報を取り入れ、情報に基づき判断したり、情報を伝え合ったり、活用したりするなど、情報を役立てながら活動するようになるとともに、公共の施設を大切に利用するなどして、社会とのつながりなどを意識するようになる。
(6) 思考力の芽生え	身近な事象に積極的に関わる中で、物の性質や仕組みなどを感じ取ったり、気付いたりし、考えたり、予想したり、工夫したりするなど、多様な関わりを楽しむようになる。また、友達の様々な考えに触れる中で、自分と異なる考えがあることに気付き、自ら判断したり、考え直したりするなど、新しい考えを生み出す喜びを味わいながら、自分の考えをよりよいものにするようになる。
(7) 自然との関わり・生命尊重	自然に触れて感動する体験を通して、自然の変化などを感じ取り、好奇心や探究心をもって考え言葉などで表現しながら、身近な事象への関心が高まるとともに、自然への愛情や畏敬の念をもつようになる。また、身近な動植物に心を動かされる中で、生命の不思議さや尊さに気付き、身近な動植物への接し方を考え、命あるものとしていたわり、大切にする気持ちをもって関わるようになる。
(8) 数量や図形、標識や文字などへの関心・感覚	遊びや生活の中で、数量や図形、標識や文字などに親しむ体験を重ねたり、標識や文字の役割に気付いたりし、自らの必要感に基づきこれらを活用し、興味や関心、感覚をもつようになる。
(9) 言葉による伝え合い	先生（保：保育士等、こ：保育教諭等）や友達と心を通わせる中で、絵本や物語などに親しみながら、豊かな言葉や表現を身に付け、経験したことや考えたことなどを言葉で伝えたり、相手の話を注意して聞いたりし、言葉による伝え合いを楽しむようになる。
(10) 豊かな感性と表現	心を動かす出来事などに触れ感性を働かせる中で、様々な素材の特徴や表現の仕方などに気付き、感じたことや考えたことを自分で表現したり、友達同士で表現する過程を楽しんだりし、表現する喜びを味わい、意欲をもつようになる。

※ 10の姿は教育要領では上記の通り（1）（2）……と記され、保育指針および教育・保育要領ではア、イ……と記されている。また、下線部（　）内の「保」は保育指針、「こ」は教育・保育要領での表記を示す。

図表 2-4　幼児期の終わりまでに育ってほしい姿

第3章 領域「環境」にかかわる現代的課題について学ぼう

1．ESDと保育

（1）ESDとは

ESDとは、Education for Sustainable Developmentの略で「持続可能な開発のための教育」と訳されています。文部科学省によると「今、世界には環境、貧困、人権、平和、開発といった様々な問題」を「自らの問題として捉え、身近なところから取り組むことにより、それらの課題の解決につながる新たな価値観や行動を生み出すこと、そしてそれによって持続可能な社会を創造していくことを目指す学習や活動」[1)]と定義されています。

では、持続可能な社会とはどのような社会なのでしょうか。それは、私たちが住んでいる地球に、私たちだけでなく、将来の世代も暮らしていくことができるという社会です。私たち人間は、日々の生活の中で自然の資源を使い、さまざまな消費活動を行いながら暮らしています。しかし、便利さや経済活動を優先し、地球を破壊してきた結果が、現在の地球温暖化などのさまざまな環境問題を引き起こしているのです。私たちは、これから先の未来に、私たちの子孫が地球で豊かに暮らしていくことができるように、地球を守っていくための価値観や行動を身につけていくことが必要なのです。

（2）保育におけるESD

ESDの中でも、幼児における教育については、ECEfS（Early Childhood Education for Sustainability）と呼ばれています。乳幼児期は人間形成の土台となる大切な時期であり、生活の基本的態度や価値が形成されるため、この時期から「持続可能な開発のための教育」を行うことが必要であるといわれています。

日本でも、Part 2の指導法例で紹介したようなさまざまな自然遊びや保育活動を行い、子どもたちが自然とかかわることを大切にしてきていますが、ESDの視点での実践はまだまだ浸透していません。自然とかかわり、自然と親しむだけでなく、自然を大切にする気持ちを育むとともに、生き物がつながり循環していることなどを知り、持続可能な社会を創造していくための基本的な考え方や行動を身につけていくための教育が求められているのです。

2. 多文化共生と保育

(1) 多文化共生とは

多文化共生とは、「国籍や民族などの異なる人々が、互いの文化的違いを認め合い、対等な関係を築こうとしながら、地域社会の構成員として共に生きていくこと」をいいます[2)]。近年、日本には、多くの外国人が就労や留学等の目的で定住するようになりました。そのような外国人を私たち日本人が日本社会の構成員としてとらえていき、さまざまな国籍や民族などの背景をもつ人々が、それぞれに歴史を積み上げてきた文化を互いに発揮できるような豊かな社会づくりを目指しています。

さらに、広い意味では、社会における少数派の文化の共生についても考えていく必要があるでしょう。具体的には、障害のある人々や、男性・女性といった2つの性別では当てはまらない人々（セクシャル・マイノリティ）などがあげられます。このような人々にも、それぞれの文化が存在しており、これからの社会は文化的違いを互いに認め合い、共生していくことで豊かな生活となるような人とのつながりが求められているのです。

(2) 保育における多文化共生

保育においても、多文化共生の考え方は大切であり、未来を生きる子どもたちが心豊かに生きていくためにはとても重要です。よって、日々の保育において、子どもたちが多くの文化に触れる経験を通して、さまざまな文化を認め合い、豊かな価値観や考え方をもてるように展開していくことが望まれます。

たとえば、日本のように茶碗をもちながら食べることをマナーとして大切にしている国もあれば、それをマナー違反ととらえる国もあります。そのときに、保育者が茶碗の扱い方一つにしても、国の文化の違いによって異なっていくということを、子ども同士で一緒に考えていく機会にしていくことが子どもの育ちへとつながっていきます。ほかにも、言葉の違いについては日本語にとらわれず、子どもの母国語も使って保育室などの名前の明記をして、さまざまな言語があることを認め合える環境づくりを保育者が子どもと一緒にしたり、さまざまな国の食文化を意識しながらクッキングを楽しむ、宗教に関する制限やきまり（食べてはいけないもの、礼拝など）について保育者が子ども同士で理解し合えるようにしていくなど、楽しい活動として計画していき、創意工夫を重ねていくとよいでしょう。

このように考えていくと、保育における多文化共生を実現していくためには、一つの文化を押しつけたり、特別扱いをすることなく、それぞれの文化を通して細やかなコミュニケーションを図っていくことが何より大切といえます。

3．ユニバーサルデザインと保育

（1）ユニバーサルデザインとは

①	だれもが利用できる公平性
②	利用者に応じた使い方ができる柔軟性
③	使い方がすぐにわかる、単純性と直感性
④	必要な情報がすぐに理解できる認知性
⑤	危険や思わぬ結果につながらない安全性
⑥	無理なく少ない力で、楽に使える効率性
⑦	十分な広さが確保されている快適性

図表 3-1 ユニバーサルデザインの 7 原則

足立区都市建設部都市計画課ユニバーサルデザイン担当課「知ってほしい‼ あだちのユニバーサルデザイン」2020

ユニバーサルデザインとは、「調整又は特別な設計を必要とすることなく、最大限可能な範囲で全ての人が使用することのできる製品、環境、計画及びサービスの設計」のことです（「障害者の権利に関する条約」第２条）。ユニバーサルデザインには図表 3-1 に示す７つの原則があります。

つまり、誰か特定の人に向けたものではなく、誰でも使用しやすいように工夫されたもの、ということになります。たとえば、近年よく見られるようになった多機能トイレは、車椅子でも十分に入れるような広いスペースがあり、高齢者や障害者、怪我をしている人々も安心して使えるような工夫がされています。また、オムツ交換台や乳児用椅子、子ども用便座などもあり、子どもと一緒でも安心して利用できるようにもデザインされていて、より広く活用されるようになりました。

（2）保育におけるユニバーサルデザイン

保育は、「環境を通して行う」ことが基本であるため、保育者は、子どもが主体的に生活する場となっている園舎内外を、その都度、目の前の子どもの発達や様子に合わせて環境をデザインしています。そして園で子どもたちが生活をしやすくするために、ユニバーサルデザインの視点を大切にしているともいえるでしょう。

たとえば、写真のように、靴を脱ぎ履きするスペースに靴のマークを書いたシートを置くと、子どもはその位置に合わせて上履きを脱ぎ、きれいにそろえて脱ぐことを自ら意識しながらできるようになります。そして、靴をきれいにそろえて脱ぐことの大切さに気づくことにつながっていくのです。また、帽子などの個人のものの管理がむずかしい低年齢児でも、帽子入れを用意して子どもたちのそれぞれのマークのシールを貼ることによって、子どもは自分の帽子をどこにしまうのかがわかり、その子どもなりに片づけたり取り出したりすることができるようになります。

保育者に見守られる中で、子どもは自分でできたことに対する自信にもつながり、次への意欲へとつながっていくことでしょう。

4．インクルーシブ保育

（1）インクルーシブ教育とは

2012（平成24）年、文部科学省は、共生社会の形成に向けたインクルーシブ教育システムの構築を打ち出しました。共生社会とは、「誰もが相互に人格と個性を尊重し支え合い、人々の多様な在り方を相互に認め合える全員参加型の社会」を意味します。そして、インクルーシブ教育システムにおいては、同じ場でともに学ぶことを追求するとともに、個別の教育的ニーズのある幼児・児童・生徒に対して、連続性のある多様な学びの場を用意する必要性が示されています。これらは、乳児期から幼児期にかけて、子どもが専門的な教育相談・支援が受けられる体制を医療、保健、福祉等との連携のもとに早急に確立することにより、高い教育効果が期待できること、早期からの教育相談や就学相談を行うことで子どもや保護者に十分な情報を提供するとともに、市町村教育委員会や学校と個別の教育的ニーズや必要な支援について合意形成を図ることにつながります。

（2）インクルーシブ保育とは

2014（平成26）年、厚生労働省は、「今後の障害児支援の在り方について（報告書）―『発達支援』が必要な子どもの支援はどうあるべきか」を通して、「地域社会への参加・包容（インクルージョン）の推進と合理的配慮」と「障害児の地域社会への参加・包容を子育て支援において推進するための後方支援としての専門的役割の発揮」を打ち出しました。このような社会的背景から、日本の保育現場においてもインクルーシブ保育という考え方が浸透しつつあります。インクルーシブ（inclusive）とは、「包括的な・全てを含んだ」という意味があり、インクルーシブ保育とは、「包括的な保育」といい換えることができます。具体的には、年齢、国籍、障害の有無にかかわらず、どんな背景をもった子どもも受け入れて支援の対象とすることであり、支援の幅に広がりがあることで、保育の環境やかかわり方も多様化していきます。インクルーシブ保育の特徴の一つとして、子ども一人一人の自発的な参加行動により、同じ空間の中で生まれる「違い」や「問題」に対して、子ども同士のかかわりが促され、やがてそれぞれの成長に結びついていくという考え方があります。他者との違いを知ること、その違いや差に対して子ども自身が考え行動するようになること、結果的に状況に応じた対応力が身につくというステップです。

教育要領には、合理的配慮に基づいて適切なかかわりの提供を保障する内容、また、保育指針には、「子どもの最善の利益を考慮し、人権に配慮した保育を行うためには、職員一人一人の倫理観、人間性並びに保育所職員としての職務及び責任の理解と自覚が基盤となる」という内容が示されており、子どもの人権に配慮した保育の提供を行えるようにするとらえ方ができます。

このように、インクルーシブ保育について理解を深めることは、保育者として目の前の子どもたちに何ができるかを考える機会にもなります。

Active Learning！

1　遊びを５領域でとらえてみよう！

① 子どもの遊びを１つ取り上げてみよう。

Hint! 実習やボランティア、アルバイトなどで、幼稚園や保育所等の子どもたちが遊んでいた様子を思い出してみよう。もし、そのような機会がまだない場合には、自分自身が幼稚園や保育所等に通っていたときに大好きだった遊びを思い出してみよう。その中で印象に残っている遊びを１つ選ぼう。

② 選んだ遊びの様子を詳しく記述しよう。

Hint! 「どこで」「誰と」「何人くらいで」「どのように」遊んでいたかを書き出そう。

③ 記述をもとに、その遊びの中で子どもが経験していることを考えてみよう。

Hint! １つの遊びをさまざまな角度からとらえてみよう。

④ その経験が５領域のどの領域と関連が深いか考え、書き出してみよう。

Hint! 子どもが遊びの中で経験していることが、どの領域の経験と関連しているのか、５領域の内容を確認してみよう。

⑤ 記述した子どもの遊びと５領域の関連について仲間に報告しよう。

Hint! **例**

①戸外でのびのびと水や泥にかかわって遊ぶ：領域「健康」

②身近な自然（水・泥・砂）にさまざまな方法でかかわる：領域「環境」

③水と砂を調合することを楽しみ、その性質に気づく：領域「環境」

④自分の考えや思いを言葉で伝える。相手の思いや考えを聞く：領域「言葉」

⑤自分のイメージしたケーキをつくることを楽しむ：領域「表現」

泥遊び（５歳児）

雨上がりの園庭で５～６名の女児が泥遊びをはじめた。①素足になり、②水たまりに入って、水や泥の感触を楽しんでいたが、水たまりの泥水をバケツに入れて砂場に持ち運び、次第に泥のチョコレートづくりへと発展した。

子どもたちは、③チョコレートのトロトロ感を出そうと、水と砂を調合しては混ぜる作業に没頭しているようであった。④「もっと水を入れるといい！」とか、「滑り台の下の水たまりの泥を入れると滑らかになる」など、自分が発見したことや考えを友達に伝えたり、友達から得た情報を取り入れて試したりして楽しむ姿があった。

Ａ児が、少し硬めにつくった泥をバケツの型で抜き、⑤拾った葉や木の実で飾りつけ、大きなケーキをつくっていた。Ａ児のまねをして、他児もケーキづくりをはじめた。⑤花びらで飾りをつけるＢ児や白い砂をかけるＣ児、それぞれのケーキを表現していた。⑥Ｄ児が、「ケーキ屋さんですよ」と、４歳児に声をかけると、ケーキ屋さんがはじまった。「いらっしゃい」「100円です」とお店屋さんになる子どもと、ケーキづくりに専念する子ども、それぞれの役割を楽しんでいた。

⑥友達と役割分担をして遊びを楽しむ：領域「人間関係」

2 領域「環境」にかかわる現代的課題について考えてみよう！

① テーマを決めよう。

Hint! グループの仲間と考えてみたい、環境に関するテーマを１つ決めよう。Part ３の第３章（本書 p.150 ～ 153 参照）で取り扱われている ESD、多文化共生、ユニバーサルデザイン、インクルーシブ保育をテーマにしてもよいが、ほかにもさまざまなテーマが考えられる。子どもを取り巻く環境について気になっていることから、自由にテーマを決めよう。身近で具体的なテーマを見つけてみよう。

例①：「地域環境と子どもの育ち」

例②：「自然環境と子どもの遊び」

② テーマについて調べよう。

Hint! テーマに基づいて、どのような情報がほしいか、考えを出し合おう。

必要な情報はどのようにしたら集められるかについても考え、グループの仲間と協力して調べまとめよう。

例① -1：国や自治体による地域コミュニティーの現状、意識調査データ：各省庁、自治体のホームページ

例① -2：昔の地域における生活・人とのかかわりについて：地域の高齢者からの聞き取り

例②：学校近辺の自然環境（生き物、植物など）とかかわることのできる場所のフィールド調査

③ 調べたことをもち寄り、報告し合おう。

Hint! 各自調べたことをグループの仲間に報告し、調べた内容を共有しよう。

④ 報告を聞いて、自由に考えを述べ合おう。

Hint! テーマについて、調べたことをもとに、感じたことや考えたことを述べ合おう。一つの意見にまとめるのではなく、多様な意見を大切にしよう。その環境が子どもの育ちにどのような影響があるかを考えてみよう。現状を踏まえ、今後、どのような取り組みが必要であるか考えてみよう。

⑤ グループ発表を行おう。

Hint! 調べたことや、調べたことをもとに考えたことを整理し、発表しよう。他グループの発表を聞き、他グループの発表から学び合おう。

引用・参考文献一覧

※引用文献は各章ごとに、本文中の数字に対応。
参考文献は引用文献のあとに、著者五十音順に掲載。

＜Part 1＞

第1章

1）松村明編『大辞林第四版』三省堂、2019、p.597
2）同上書
・厚生労働省『保育所保育指針解説』フレーベル館、2018
・汐見稔幸、無藤隆監修『＜平成30年施行＞保育所保育指針・幼稚園教育要領・幼保連携型認定こども園教育・保育要領解説とポイント』ミネルヴァ書房、2018
・高山静子『環境構成の理論と実践　保育の専門性に基づいて』エイデル研究所、2014
・内閣府、文部科学省、厚生労働省『幼保連携型認定こども園教育・保育要領解説』フレーベル館、2018
・文部科学省『幼稚園教育要領解説』フレーベル館、2018

第2章

・遠藤利彦『赤ちゃんの発達とアタッチメント―乳児保育で大切にしたいこと』ひとなる書房、2017
・厚生労働省『保育所保育指針解説』フレーベル館、2018
・清水将之、相樂真樹子編『＜ねらい＞と＜内容＞から学ぶ 保育内容・領域 健康』わかば社、2015
・清水将之、相樂真樹子編『改訂版＜ねらい＞と＜内容＞から学ぶ 保育内容・領域 健康』わかば社、2018
・社会保障審議会児童部会保育専門委員会「第10回会議資料」2016
・庄司順一、奥山眞紀子、久保田まり編『アタッチメント―子ども虐待・トラウマ・対象喪失・社会的養護をめぐって』明石書店、2008
・内閣府、文部科学省、厚生労働省『幼保連携型認定こども園教育・保育要領解説』フレーベル館、2018
・無藤隆監修、福元真由美編者代表『新訂 事例で学ぶ保育内容 領域環境』萌文書林、2018
・文部科学省『幼稚園教育要領解説』フレーベル館、2018

第3章

・厚生労働省『保育所保育指針解説』フレーベル館、2018
・清水将之、相樂真樹子編『＜ねらい＞と＜内容＞から学ぶ 保育内容・領域 健康』わかば社、2015
・内閣府、文部科学省、厚生労働省『幼保連携型認定こども園教育・保育要領解説』フレーベル館、2018
・無藤隆監修、福元真由美編者代表『新訂 事例で学ぶ保育内容 領域環境』萌文書林、2018
・文部科学省『幼稚園教育要領解説』フレーベル館、2018

第4章

1）文部科学省『幼児理解に基づいた評価』チャイルド本社、2019、p. 9
2）同上書、p.10
3）倉橋惣三『育ての心（上）』フレーベル館、1976、p.45
4）津守眞『保育者の地平』ミネルヴァ書房、1997、p.293
・厚生労働省『保育所保育指針解説』フレーベル館、2018
・柴崎正行編『改訂版 保育内容の基礎と演習』わかば社、2018
・内閣府、文部科学省、厚生労働省『幼保連携型認定こども園教育・保育要領解説』フレーベル館、2018
・文部科学省『幼稚園教育要領解説』フレーベル館、2018

＜Part 2＞

第1章

・厚生労働省『保育所保育指針解説』フレーベル館、2018
・汐見稔幸、小西行郎、榊原洋一編『乳児保育の基本』フレーベル館、2007
・内閣府、文部科学省、厚生労働省『幼保連携型認定こども園教育・保育要領解説』フレーベル館、2018
・文部科学省『幼稚園教育要領解説』フレーベル館、2018
・幼少年教育研究所編『新版遊びの指導』同文書院、2009
・善本眞弓編『演習で学ぶ乳児保育』わかば社、2020

第2章

1）岡部翠編『幼児のための環境教育　スウェーデンからの贈りもの「森のムッレ教室」』新評論、2007、pp.62-79
2）公益社団法人国土緑化推進機構編『森と自然を活用した保育・幼児教育ガイドブック』風鳴舎、2018、pp.78-87
3）秋田喜代美他『園庭を豊かな育ちの場に―質向上のためのヒントと事例』ひかりのくに、2019、p.18
4）レイチェル・L. カーソン、上遠恵子訳『センス・オブ・ワンダー』新潮社、1996、pp.23-24
・井上美智子「日本の公的な保育史における「自然とのかかわり」のとらえ方について―環境教育の視点から」環境教育 vol.9-2、2000
・井上美智子、無藤隆、神田浩行編『むすんでみよう子どもと自然―保育現場での環境教育実践ガイド』北大路書房、2010
・いわさゆうこ『ごんごろじゃがいも』童心社、2014
・内田美智子作、絵魚戸おさむとゆかいななかまたち『いのちをいただく みいちゃんがお肉になる日』講談社、2013
・大豆生田啓友編『子どもがあそびたくなる草花のある園庭と季節の自然あそび』フレーベル館、2014
・櫻井慶一監修、森のムッレ協会新潟編集『身近な自然と遊んで育つ保育実践―スウェーデンの自然環境教育から』わかば社、2018
・さとうわきこ『よもぎだんご』福音館書店、1989
・髙橋貴志、目良秋子編『コンパス 保育内容環境』建帛社、2018
・谷川俊太郎著、和田誠絵『あな』福音館書店、1983
・豊泉尚美、森下英美子『地球市民を育てる―子どもと自然をむすぶ』圭文社、2016
・長谷川義史『じゃがいもポテトくん』小学館、2010

第3章

1）内田伸子編『よくわかる乳幼児心理学』ミネルヴァ書房、2008、pp.160-161

2）山口真美「乳児の視覚世界―研究方法と近年のトピックスについて」日本視覚学会、冬季大会特別講演、2010、p.13
・河原紀子監修『0歳～6歳子どもの発達と保育の本』学研プラス、2018
・玉成恩物研究会編『フレーベルの恩物であそぼう』フレーベル館、2000
・櫻井茂男『しっかり学べる発達心理学 改訂版』福村出版、2010
・荘司雅子『フレーベル教育学への旅』日本記録映画研究所、1991
・田中敏隆『子供の認知はどう発達するのか』金子書房、2006
・湯汲英史『0歳～6歳子どもの発達とレジリエンス保育の本』学研プラス、2018

第4章
・内閣府、文部科学省、厚生労働省『幼保連携型認定こども園教育・保育要領解説』フレーベル館、2018
・弘前ひさし『パネルシアターの世界 実技編② シアターあいうえお』アド・グリーン企画出版、1955
・文部科学省『保育所保育指針解説』フレーベル館、2018
・文部科学省『幼稚園教育要領解説』フレーベル館、2018
・幼少年教育研究所編『新版遊びの指導』同文書院、2009

第5章
・アンドレアス・シュライヒャー、経済協力開発機構（OECD）編『デジタル時代に向けた幼児教育・保育』明石書店、2020
・文部科学省「2019年度　文部科学白書」

第6章
・厚生労働省『保育所保育指針解説』フレーベル館、2018
・文部科学省『幼稚園教育要領解説』フレーベル館、2018
・幼少年教育研究所編『保育実践事典（改訂版）』すずき出版、2018

第7章
・園長のあいさつ研究会編『園長のあいさつ―保育場面の実例から学ぶ話し方』わかば社、2013
・グループこんぺいと編『先輩が教える保育のヒント40―運動会・生活発表会・作品展』黎明書房、2007
・厚生労働省『保育所保育指針解説』フレーベル館、2018
・柴崎正行編『改訂版　保育方法の基礎』わかば社、2018
・高橋司、塩野マリ『年中行事なるほどBOOK』ひかりのくに、2007
・津崎哲郎『子どもの回復・自立へのアプローチ』明石書店、2016
・萌文書林編集部編『子どもに伝えたい年中行事・記念日（新版）』萌文書林、2015
・松永園子、永田陽子、福川須美、堀口美智子『実践家庭支援論』ななみ書房、2011
・三浦康子『子どもに伝えたい 春夏秋冬 和の行事を楽しむ絵本』永岡書店、2014
・文部科学省『幼稚園教育要領解説』フレーベル館、2018
・幼少年教育研究所編『保育実践事典（改訂版）』すずき出版、2018

＜Part 3＞

第1章
・岩立京子、河邉貴子、中野圭祐監修『遊びの中で試行錯誤する子どもと保育者』明石書房、2019
・大豆生田啓友『「対話」から生まれる乳幼児の学びの物語』学研プラス、2016

第2章
・国立教育政策研究所「幼小接続期カリキュラム全国自治体調査」ホームページ
・無藤隆編『10の姿プラス5・実践解説書 よく分かる解説＆写真で見る実践事例』ひかりのくに、2018
・文部科学省「小学校学習指導要領における「幼児教育との接続」や「スタートカリキュラム」に関連する主な記述」ホームページ

第3章
1）文部科学省「ESD」ホームページ
2）秋田喜代美監修『保育学用語辞典』中央法規出版、2019、p.79
・尾崎康子、阿部美穂子、水内豊和編『よくわかるインクルーシブ保育』ミネルヴァ書房、2020
・神奈川県立総合教育センター「教育のユニバーサルデザイン―小中一貫教育（小中連携）の視点から」2018
・厚生労働省「『今後の障害児支援の在り方について（報告書）―「発達支援」が必要な子どもの支援はどうあるべきか』の取りまとめについて」2014
・文部科学省「共生社会の形成に向けたインクルーシブ教育システム構築のための特別支援教育の推進（報告）概要」2012

協　力（五十音順）

学校法人椿学園 でんえん幼稚園／学校法人安見学園 板橋富士見幼稚園／社会福祉法人あすみ福祉会 茶々むさしせき保育園／社会福祉法人城和会 城山保育園／社会福祉法人正和会 てんじん保育園／社会福祉法人どろんこ会 志木・朝霞・仲町どろんこ保育園／社会福祉法人緑伸会 保育園加賀のこども／社会福祉法人わか竹会 わかたけ鳩峯保育園／東京都足立区立梅田保育園／東京都足立区立本木保育園／東京都北区立桜田北保育園／東京都北区立西ヶ原保育園／東京都内社会福祉法人・保育園（匿名）／森のようちえんピッコロ

編者・著者紹介　※ 著者執筆順。執筆担当箇所は Contents に記載。

編者 **小櫃 智子**（おびつ ともこ） **東京家政大学 子ども学部 子ども支援学科 教授**

主な著書：『改訂版 保育教職実践演習 これまでの学びと保育者への歩み―幼稚園・保育所編』（編著、わかば社、2018）、『保育園・認定こども園のための保育実習指導ガイドブック』（編著、中央法規出版、2018）、『幼稚園・保育所・認定こども園実習パーフェクトガイド』（共著、わかば社、2017）、『幼稚園・保育所実習 指導計画の考え方・立て方』（共著、萌文書林、2017）、他。

小山 朝子（こやま あさこ） **和洋女子大学 人文学部 こども発達学科 准教授**

主な著書：『講義で学ぶ 乳児保育』（編著、わかば社、2019）、『改訂版 保育原理の基礎と演習』（共著、わかば社、2018）、『改訂 乳児保育の基本』（共著、萌文書林、2019）、『よくわかる！保育士エクササイズ6 保育の計画と評価演習ブック』（共著、ミネルヴァ書房、2019）、他。

相樂 真樹子（さがら まきこ） **淑徳大学短期大学部 こども学科 准教授**

主な著書：『改訂版 ＜ねらい＞と＜内容＞から学ぶ 保育内容・領域 健康』（編著、わかば社、2018）、『改訂版 保育内容の基礎と演習』（共著、わかば社、2018）、『実習場面と添削例から学ぶ！ 保育・教育実習日誌の書き方 改訂版』（共著、中央法規出版、2020）、他。

善本 眞弓（よしもと まゆみ） **東京成徳大学 子ども学部 子ども学科 教授**

主な著書：『演習で学ぶ 乳児保育』（編著、わかば社、2020）、『講義で学ぶ 乳児保育』（共著、わかば社、2019）、『エピソードから楽しく学ぼう人間関係』（共著、創成社、2020）、『幼稚園・保育所実習 指導計画の考え方・立て方』（共著、萌文書林、2017）、他。

北澤 明子（きたざわ あきこ） **秋草学園短期大学 幼児教育学科 准教授**

主な著書：『演習 保育内容 環境―基礎的事項の理解と指導法』（共著、建帛社、2019）、『改訂版 保育原理の基礎と演習』（共著、わかば社、2018）、『家庭支援論の基本と課題』（共著、学文社、2017）、他。

福田 篤子（ふくだ あつこ） **東京立正短期大学 現代コミュニケーション学科 講師**

主な著書：『改訂版 保育内容の基礎と演習』（共著、わかば社、2018）、『改訂版 保育方法の基礎』（共著、わかば社、2018）、『保育者養成のための初年次教育ワークブック』（共著、一藝社、2018、他。

<執筆協力> ● Part 3　第1章　実践事例

神部 理有（社会福祉法人 あすみ福祉会 茶々むさしせき保育園 園長）※ 所属は初版発行時

● 装丁 **タナカアン**　　● イラスト **山 岸 史**

実践例から学びを深める
保育内容・領域 **環境 指導法**

2021年3月28日　初版発行
2023年3月1日　初版2刷発行

編著者　小 櫃 智 子
発行者　川 口 直 子
発行所　（株）わかば社

〒173-0004　東京都板橋区板橋 2-46-12
tel(03)6905-6880 fax(03)6905-6812
(URL)https://www.wakabasya.com
(e-mail)info@wakabasya.com

印刷／製本　シ ナ ノ 印 刷（株）

ISBN 978-4-907270-33-9 C3037